BANANENijS EN ZOENENDE ZEEHONDEN

Andere boeken van Hilde Loeters bij Clavis

De gluurder
Mijn broer is niet gek
Het geheim van Siena Hoed
Mama's verdwijnen nooit helemaal
Jos heeft lentekriebels
Jos wil er eens uit

HILDE LOETERS

BANANENIJS EN ZOENENDE ZEEHONDEN

MET ILLUSTRATIES VAN PETRA BAAN

Clavis

Voor alle opa's van de wereld

Hilde Loeters
Bananenijs en zoenende zeehonden
© 2008 Clavis Uitgeverij, Hasselt – Amsterdam
Omslag en illustraties: Petra Baan
Trefw.: vakantie, dromen, weglopen, vriendschap
NUR 282
ISBN 978 90 448 0932 9
D/2008/4124/092
Alle rechten voorbehouden.

www.clavisbooks.com
www.petrabaan.nl

Dit boek is gedrukt op papier met een certificaat
van de Forest Stewardship Council,
die verantwoord bosbeheer stimuleert.

Mixed Sources
Productgroep uit goed beheerde bossen
en andere gecontroleerde bronnen
www.fsc.org Cert no. SCS-COC-001256
© 1996 Forest Stewardship Council

DEEL 1

1

Papa loopt de hele tijd heen en weer. Het lukt mij niet meer om verder te lezen. Hij loopt van de woonkamer naar de computerkamer en van de keuken tot bij het raam in de eetkamer. Ik gluur over de rand van mijn boek. Hij huppelt terwijl hij terug naar de computerkamer loopt. Ik zie een klein stukje van zijn hoofd voor het scherm. Dat stukje hoofd lacht. Dat zie ik aan het plooitje in zijn wang en het glinsteren van zijn rechteroog. Nu staat hij weer op en haalt een dik boek uit de kast. Hij slaat het open en trekt met zijn vinger lijnen over de bladzijden. Hij kijkt even in mijn richting. Ik duik weg achter mijn boek en trek rimpels in mijn voorhoofd. Hij is iets aan het uitspoken waar ik nog niets over mag weten. Ik klem mijn tanden op elkaar om het niet uit te gillen van nieuwsgierigheid. Papa houdt ervan mij te verrassen, dus doe ik nog eventjes alsof ik niets merk.

Eindelijk. Nu komt hij mijn richting uit. Als hij voor me staat, doe ik nog steeds alsof ik heel erg verdiept ben in mijn boek.

'Oliebol,' zegt hij met een gekke wiebel in zijn stem. Ik heet niet Oliebol, hoor. Mijn naam is Irena. Toen ik nog klein was, had ik eens een grote puntzak vol oliebollen helemaal alleen opgegeten. Mijn wangen waren wit van de suiker. Papa vond dat ik er zelf als een oliebol uitzag. Daarom noemt hij mij nog steeds 'Oliebol' als hij extra lief wil zijn of als er iets spannends te gebeuren staat. Zoals nu.

'Hu,' doe ik, en ik knipper met mijn ogen. Ziet papa nu echt niet dat ik dat gewoon maar speel?

'Ik moet je iets laten zien,' zegt hij.

Met een diepe zucht sla ik mijn boek toe en hijs mezelf overeind.

Papa kijkt met zo'n brede glimlach op mij neer, dat ik mijn opwinding nu echt niet meer kan verbergen.

'Heb je een verrassing voor mij, pappie?' roep ik. Ik sta zowat te springen.

'Hm,' knipoogt papa. 'Kom eens mee naar de computerkamer.'

Hij steekt zijn hand uit, maar ik ren hem voorbij. Mijn benen moeten gewoon hollen. In de computerkamer blik ik vlug naar het scherm, maar daar staat alleen een hoop tekst op zonder plaatjes. Mijn ogen zijn al net zo springerig als mijn benen en zoeven over de tekst zonder een woord te lezen. Maar dan zie ik de opengeklapte atlas op tafel. Mijn hart begint sneller te kloppen. Ieder jaar haalt papa de atlas uit te kast om mij aan te wijzen waar we op vakantie gaan. Dit heeft dus met onze reis in de zomervakantie te maken …

Ik bijt op mijn lip om alle vragen in mijn hoofd te houden.

'Deze zomer …' zegt papa plechtig, 'gaan we hierheen op reis.'

Papa drukt de top van zijn wijsvinger op de kaart.

Ik plof bijna uiteen van teleurstelling.

'Maar het is weer niet ver!' roep ik uit. 'Je had beloofd dat we dit jaar een verre reis zouden maken.'

'Het is wél ver,' antwoordt papa. 'Het is verder dan we ooit samen gegaan zijn. Alleen met mama ben ik nog verder geweest. Maar dat was voor jij geboren werd.'

'Het is maar zo'n klein eindje!' Ik leg mijn duim op België en mijn wijsvinger op de plaats die papa getoond heeft. Ik hoef mijn vinger niet eens te strekken. Zo'n kort stukje is het.

'Dit is een kaart van Europa,' zegt papa. 'Alle landen zijn heel erg verkleind. Maar het is heus ver. Twaalfhonderd kilometer. Je zult langer in de auto moeten zitten dan je lief is.'

'Twaalfhonderd kilometer?' Vorig jaar zijn we vierhonderdtwintig kilometer ver gereden. Dat duurde maar en duurde maar. Uit verveling telde ik alle zwarte auto's. Mijn bloes plakte helemaal tegen mijn rug van het zweet toen we eindelijk aankwamen.

'Esbjerg,' zegt papa. 'In Denemarken.' Hij legt opnieuw zijn vinger op de kaart. 'Het ligt precies hier.' Zijn vinger bedekt een stukje blauw.

'In de zee?'

'Het ligt áán de zee. Het was een tip van het reisbureau. Een heel ongewone vakantiebestemming, zeiden ze. Ze hebben er pas sinds dit jaar enkele vakantiewoningen te huur. We hebben een huisje gereserveerd met zicht op zee. Dan kunnen we 's avonds op het terras zitten met een kop warme thee en naar de zonsondergang kijken. Maar wel met een dikke trui aan, want het is daar een stuk kouder dan hier.'

'Esbjerg, Esbjerg …' Ik proef het woord aan alle kanten. Het klinkt bijna als 'IJsberg', maar het heeft niet dat gladde en scherpe. 'Esbjerg' klinkt alsof er smeuïg bananenijs op de berg ligt en er aan de ene kant een zacht glooiende helling is waar je met je slee slalommend af kunt glijden. Ik krijg er koude rillingen van. Ik weet meteen dat dit de reis van mijn leven wordt.

'Zal er veel sneeuw liggen, papa?' vraag ik.

Papa lacht dat gekke lachje van hem en legt zijn handen tegen zijn wangen.

'Ik hoop van niet, meid,' zegt hij. 'We gaan half juli. Ik hoop dat we een beetje zon zien en dat mama haar schouders kan laten bruinen.'

'Mama vindt het vast reuzetof,' zeg ik. 'Een terras waarop ze urenlang boeken kan zitten lezen, terwijl wij gaan zwemmen in de zee en daarna liggen te drogen op het strand.'

'Ik weet niet zeker of Esbjerg een zandstrand heeft,' zegt papa. 'Ik weet er eigenlijk helemaal niet zoveel van. In het reisbureau hebben ze ons foto's van het vakantiehuisje laten zien. Dat zag er prima uit. Ik vind het trouwens wel spannend om naar een plek te reizen die we helemaal niet kennen. In mijn oude reisboeken over Europa wordt Esbjerg niet vermeld. Maar we zullen eens surfen op het internet. Daar vinden we misschien wel wat foto's.'

Ik kan gewoon niet meer op mijn stoel blijven zitten. Ik spring op en roep: 'Ik ga naar mama ...'

'Irena, wacht!' roept papa mij na.

Ik hoor hem wel, maar ik luister niet. Ik stuif de computerkamer uit en glij in de gang bijna uit op dat idiote tapijtje. Ik weet wel dat mama het vervelend vindt als ik binnenkom zonder te kloppen, maar deze keer gooi ik zonder aarzelen de deur van haar werkkamer open.

2

Mama zit verstopt achter een hoop mappen en knippert niet eens met haar ogen als ik binnenstorm. Haar gezicht heeft alleen maar plooien en haar ogen zijn glazig. Ze lijken door de muur heen te kijken.

'Ik ben zo blij, mama!' juich ik. 'Een echte, verre reis! Twaalfhonderd kilometer …'

De wieltjes van mama's stoel knarsen. Ik sla mijn armen om haar hals en hijs mij op haar schoot.

'Wacht even, meid,' zegt mama. 'Mijn pen.' Achter mijn rug schroeft ze de dop op haar pen.

'Vind je het niet heerlijk, mama?' zing ik in haar oor. 'Naar een echt ver land. Een heuse, lange reis?'

Mama's zucht voelt warm tegen mijn wang.

'Ik hoop maar dat ik alle achterstallige dossiers bijgewerkt heb tegen juli,' zegt ze. 'Het is nog een hoop werk.'

Waarom moet mama altijd zo veel werken? En het is vandaag nog wel zondag!

'Maar je bent toch blij?' vraag ik. 'Even blij als papa en ik?'

'Natuurlijk,' zegt mama, en ze tikt met de pen op het beeld op haar schrijftafel. Het is iets wat ze zelf nog geboetseerd heeft. Ik vraag mij altijd af wat het voorstelt. Het lijkt op een mens met veel te veel armen.

'Natuurlijk,' zegt mama nog een keer. 'Het is alleen iets helemaal anders dan we gewoon zijn.'

'Esbjerg,' zeg ik voor de zoveelste keer. 'Esbjerg. Esbjerg. Het is een andere taal, mama. Het is Denemarks.'

'Deens,' schiet mama in de lach. Nu pas laat ze haar pen los. Ze slaat haar beide armen om me heen en ik kruip in het holletje van haar armen. Ik pas nog net op dat plekje, met mijn kruin onder mama's kin.

'We moeten dikke truien meenemen, maar er zal toch zon zijn,' droom ik. 'En voor de rest weet ik nog niets van Esbjerg en papa ook niet zoveel. We weten nog niet eens of er zand op het strand ligt. Maar als er geen zand ligt, wat ligt er dan wel, mam?'

'Keien of schelpen,' zegt mama. 'Of rotsen met scherpe punten waar je niet op kunt lopen.'

'We lopen er toch op, hè, mam. Met z'n drieën. Met onze laarzen aan.'

'Ja,' zegt mama, en ze houdt mij met één hand tegen, terwijl haar andere hand de pen op haar schrijftafel zoekt. 'Ik moet wel eens op zolder gaan kijken waar die laarzen van mij zijn.'

Dan vindt haar hand de pen en ik glij van haar schoot, want ik ben al zo zwaar dat ik van haar knieën val als ze mij niet tegenhoudt. Ze buigt zich weer over haar papieren en begint te schrijven.

Dat is alles!

Alsof er niet honderd en één dingen zijn die je over Esbjerg kunt bedenken! Ik doe mijn mond open om nog eens te vragen of ze het niet allemaal superfantastisch vindt, maar klap mijn tanden weer op elkaar. Mama is alweer heel druk bezig.

Ik loop naar de computerkamer, neem de atlas van de tafel en bestudeer alle rare namen die op de kaart van Denemarken voorkomen.

3

Het is natuurlijk het eerste wat ik maandag aan Jolien wil vertellen. Ze loopt een eind voor mij uit de trap op naar onze klas. Ik wurm mij langs een stel jongetjes uit de tweede naar boven, maar een van hen wil mij niet laten voorgaan en blijft opzettelijk aan de leuning hangen. Het duurt eindeloos voor hij boven is en ik hem voorbij kan spurten.

Jolien is al twee keer naar Spanje geweest en tot nu toe gingen wij alleen naar Nederland of Duitsland.

'We maken deze zomer een verre reis!' blaas ik in haar oor terwijl ik haar zowat dooreenschud.

'Naar Esbjerg,' zeg ik wel honderd keer. 'Het ligt in Denemarken en het is twaalfhonderd kilometer ver.'

Ik denk dat Jolien een beetje jaloers is, want haar ogen staan zo raar en ze wordt een beetje rood. 'Ik moet jou ook iets vertellen,' zegt ze. 'Maar nu is het niet het goede moment.'

De bel gaat en we haasten ons de klas in. Meester Tom wappert al met onze proefwerkblaadjes. Hij geeft ze aan Merel om uit te delen. We zitten nauwelijks op onze stoelen als hij begint voor te lezen. Ik kan mijn gedachten er niet bij houden en het is nu net een oefening in luisteren. Het gaat over kinderen die een boomhut maken en die dan een bijzondere naam geven.

'Het eerste wat ik van jullie wil weten, is de naam van de boomhut,' zegt meester Tom. 'Schrijf die naam bij het cijfer 1, bovenaan op je blad.'

Ik weet op de naam niet meer en schrijf dan maar *Esbjerg* op. Bij twee van de andere negen vragen weet ik het antwoord ook niet meer en schrijf ik ook maar *Esbjerg*.

In de speeltijd loop ik meteen op Jolien af, maar ze haakt haar arm in die van Luna.

'Wij maken samen een spreekbeurt, Irena,' zegt ze.

Ik val bijna om. We hebben voor het weekend afgesproken dat wíj samen een spreekbeurt zouden doen. Over Columbus. Omdat we dat verhaal over het ei van Columbus zo leuk vinden.

'Toch niet over Columbus?' vraag ik.

'Nee, doe jij maar Columbus,' zegt Jolien. 'Ik heb een ander onderwerp gekozen. Ik doe nu Mozart, en Luna ook. Daarom werk ik nu met haar.'

Mijn mond valt open van verbazing.

Jolien draait zich om en Luna zwaait aan haar arm met haar mee. 'Een andere keer,' zegt Jolien over haar schouder.

Ik ga onder de boom op de speelplaats zitten mokken. Merel komt naast mij zitten, maar ik schuif een stukje van haar af.

'Ik moet nadenken,' zeg ik. 'Alleen.'

Waarom laat Jolien mij nu in de steek? We doen altijd alles samen. Is ze jaloers omdat ik zo'n prachtige reis ga maken en zij niet? Maar ik ben toch ook niet jaloers als zij naar Spanje gaat? Een klein beetje misschien wel, maar niet zo erg dat ik mijn spreekbeurt met iemand anders zou doen.

De hele speeltijd lang kan ik mijn ogen niet afhouden van Jolien en Luna, die gearmd over de speelplaats lopen.

4

Dinsdag komt Jolien meteen naar mij toe als ik mijn fiets in het fietsrek zet.

'Ik doe toch niets met Luna,' zegt ze. 'Mozart is zo saai. Ik wil Columbus doen met jou.'

'Spelen we nog eens van het ei?' vraag ik. Ik voel de lachkriebels al in mijn buik.

Tussen de fietsers en de leerlingen die te voet komen, speelt Jolien weer Columbus en ik speel de mannen die bij hem aan tafel zitten.

'Hoe zet je een ei rechtop?' vraagt Jolien met haar buik vooruit en de diepste stem die ze heeft. Dat is nu altijd waar ik het meest om moet lachen: die stem van haar als ze Columbus speelt.

'Je houdt het ei met je hand vast,' zeg ik met toegeknepen keel.

'Mis,' zegt Columbus-Jolien.

'Je maakt een eierdopje van papier of iets anders,' kras ik.

'Mis,' zegt Columbus-Jolien, en ze schudt eens met haar dikke buik.

'Je kunt een ei helemaal niet rechtop zetten,' foeter ik met een grom in mijn stem.

'Toch wel,' zegt Columbus-Jolien, en ze slaat haar handen tegen elkaar. 'Dan zet ik het ei met een klap op tafel, zodat het onderaan kraakt en blijft staan.'

En dan zeg ik: 'Het ei van Columbus betekent: je moet er maar opkomen.'

Dat stukje hebben we al honderd keer gerepeteerd, maar voor de rest van de spreekbeurt hebben we nog niets. Ik heb wel al boeken gehaald in de bibliotheek. Over ontdekkingsreizigers en zo. Ik heb in één boek al wat gelezen, maar het is wel moeilijk. En eigenlijk ook wel een beetje saai. Maar dat durf ik nu niet aan Jolien te zeggen. Misschien wil ze dan toch Mozart doen met Luna.

Als we uitgelachen zijn, grijp ik Joliens arm. 'Wat wilde je me gisteren nog vertellen? Je zei dat je nieuws voor me had.'

'Voor mij is het niet nieuw meer,' antwoordt Jolien raadselachtig. 'Maar jij weet er nog niets van.'

'Zeg het dan eindelijk!' stampvoet ik van nieuwsgierigheid.

Maar net nu gaat de bel! We hebben veel te veel tijd verloren met Columbus en moeten rennen om op tijd in de klas te zijn. We hebben vandaag proefwerk metend rekenen. Meester Tom heeft net de blaadjes uitgedeeld als we de klas in stormen. Nu ben ik nog niet te weten gekomen wat Jolien mij wilde vertellen.

En ook tijdens de speeltijd lukt het niet. De helft van de klas vertrekt op medisch onderzoek en Jolien is daar ook bij. Ik loop nog met haar mee naar de bus, maar iedereen doet zo druk dat we elkaar nauwelijks verstaan.

'Vertel je het me nu ?' roep ik, maar Jolien hoort me niet. Luna is aan het huilen omdat ze bang is voor de prik die ze zal krijgen en Jolien slaat haar arm om haar heen en stapt met haar de bus op.

Als ze 's middags terugkeren, kan ik Jolien weer niets vragen, want nu ik moet samen met de rest van de klas naar het medisch onderzoek vertrekken. Jammer dat we niet in dezelfde groep zitten, anders hadden we de hele tijd kunnen babbelen. Nu verveel ik mij te pletter. Ik denk dan maar aan Esbjerg. Ook terwijl ik mijn prik krijg, en daardoor voel ik het nauwelijks.

Als de bus eindelijk aan de schoolpoort stopt, staat Joliens moeder al te wachten. Daardoor heeft Jolien de hele dag geen kans gehad om mij het nieuws te vertellen.

's Avonds bel ik haar op. Ik kan echt niet nog een dag wachten. 'Vertel nu eens alles,' fluister ik in de hoorn.

'O ja, Columbus,' zegt ze hard.

'Nee, niet over Columbus. Ik wil weten wat je me nog wilde vertellen,' sis ik.

'Ja, het is goed,' zegt ze. 'In de paasvakantie spreken we wel eens af om eraan verder te werken.'

Ik denk dat ik het begrijp. 'Is je mama daar in de buurt misschien? Kun je nu niet zeggen wat je wilt?'

'Ja,' zegt ze. 'Ja, precies. Tot morgen.' Een klik en een zoem. De verbinding wordt verbroken!

De rest van de avond hou ik me bezig met denken aan Esbjerg. Esbjerg, Esbjerg, Esbjerg, Esbjerg, Esbjerg, Esbjerg, Esbjerg …

5

In het midden van de nacht word ik wakker met een dikke keel. Het doet pijn als ik slik. Daarom slik ik zo weinig mogelijk, maar dan loopt mijn hele mond vol speeksel en moet ik wel slikken en doet het nog meer pijn.

Ik wil opstaan om naar mama te gaan, maar ik durf niet. Mama had weer zo veel werk gisterenavond en ik hoorde haar tegen papa klagen dat ze doodop was van al dat werken en dat ze eens vroeg in bed zou kruipen om veel te kunnen slapen. En dat ze zo slecht slaapt de laatste tijd omdat ze de hele tijd denkt aan al het werk dat ze nog moet doen. Dan kan ik haar toch niet gaan wekken voor mijn zere keel? Dan zou ze weer niet veel kunnen slapen en dan zou ze moe zijn door mijn schuld.

Dus lig ik een hele tijd wakker en kijk hoe de getallen van mijn wekker verspringen. Ik probeer te raden wanneer er weer een minuut voorbij is en het getal verandert. Na een tijd zeg ik 'Nu!' precies op het moment dat er een nieuw cijfer komt. Als ik het spelletje beu word, denk ik weer aan Esbjerg. Maar eigenlijk weet ik er nog zo weinig van. Ik kan alleen het woord denken en dan zie ik in gedachten een mannetje dat van een berg bananenijs glijdt op zijn ski's.

Om halfzeven sta ik toch maar op en ga naar mama's slaapkamer. Mama gaat meteen rechtop zitten als ik de deur openduw. Ze knipt het nachtlichtje aan. Papa gromt en duikt dieper onder zijn dekbed.

'Ik heb al de hele nacht keelpijn,' zeg ik, en de tranen springen in mijn ogen.

'Ach, kindje,' zegt mama, en ze trekt me op haar schoot. 'Je had al eerder moeten komen kloppen. Dan had ik je een lepeltje gegeven tegen de pijn.'

We staan samen op en mama houdt mijn hand stevig vast als we de trap af lopen.

17

Ik eet een beetje yoghurt en mama maakt warme thee met veel honing en citroensap. In het begin doet het nog veel meer pijn als ik slokjes neem van mijn thee. De tranen lopen over mijn wangen van de pijn, maar na een tijdje gaat het beter.

Mama belt naar school dat ik ziek ben. Het is ook maar een halve dag school en de proefwerken zijn voorbij. Ik kruip weer in bed als mama en papa naar hun werk vertrekken. Onze buur-vrouw Leen kijkt beneden tv terwijl ze op mij past. En papa neemt vanmiddag vrij om voor mij te zorgen. Ik kan anders best een tijdje alleen thuis zijn, hoor. Zelfs al ben ik een beetje ziek. Ik heb een stapel strips in mijn bed gelegd om mij niet te vervelen.

Eigenlijk doet mijn keel nu al wat minder pijn.

6

Als papa thuiskomt, heb ik net mijn wortelpuree met gehak-balletjes op. Leen trappelt van ongeduld omdat ze om halftwee op de tennisclub moet zijn.

'Hoe is het met mijn zieke?' knipoogt papa. 'Twee blozende wangen, een goede eetlust. Ik denk dat het nog meevalt met die keelpijn …'

'Hm,' zeg ik met mijn hand aan mijn keel. Ik durf eigenlijk niet te zeggen dat het over is.

'Zou je dan niet even gaan douchen en je kleren aantrekken?' zegt papa. 'Je kunt toch moeilijk in je pyjama voor de computer gaan zitten!'

Ik gooi bijna mijn glas water om als ik van mijn stoel op-
spring.

'Wat gaan we doen, pappie?' vraag ik.

'Wordt het niet eens tijd dat we wat meer te weten komen
over Esbjerg?' vraagt papa. 'Ik heb alleen nog maar het adres van
het vakantiehuisje en een folder met plaatjes van de kamers.
Maar zulke huisjes zien er overal ter wereld hetzelfde uit.'

Papa heeft nog veel meer te vertellen over vakantiehuisjes,
maar ik ren de keuken uit. Nog nooit heb ik zo snel een douche
genomen. Mijn haar druipt nog als ik tien minuten later voor
de computer zit.

'Open het internet maar,' zegt papa terwijl hij voor de zoveelste keer de kaart in de atlas bestudeert.

'Hoe begin ik?' vraag ik.

'Tik maar gewoon *Esbjerg* in,' antwoordt papa.

Ik zoek de letters. E-S-B-J-E-R-G. Mijn vinger beeft.

'Bijt niet zo hard op het puntje van je tong,' zegt papa. 'Straks
moeten we toch nog naar de dokter. Niet voor je keel, maar om
je tong aaneen te naaien.'

Er verschijnt een boel op het scherm.

'Klik het eerste maar aan,' zegt papa. 'Dat ziet er al heel in-
teressant uit. Een kaart van Esbjerg en omgeving.'

Allemaal bolletjes van steden met rare namen en banen van
het ene bolletje naar het andere. Papa volgt met zijn vinger een
rode lijn die van beneden op het scherm naar boven loopt.

'Autosnelweg recht naar het noorden tot in Kolding,' zegt hij.
'En dan westwaarts naar Esbjerg.'

Papa blijft veel te lang naar die lijnen turen. Daar heb ik niets
aan. Het enige grappige is dat er een stippellijntje met een klein

bootje op schuin naar beneden loopt. Over de zee. *Harwich* staat er boven het lijntje. Alsof er daar minibootjes op zee varen.

'Probeer maar eens iets anders,' zegt papa. '*Esbjerg toerisme* of zoiets.'

Ik tik de letters in. Meteen verschijnen er een hoop zinnen op het scherm. Er zijn rare letters bij: een o met een streepje door en een heel rare letter die lijkt op een a met een e aan zijn buik geplakt.

'Klik dat eerste eens aan,' zegt papa.

Er verschijnt een scherm met allemaal foto's van boten en een zwembad en grote witte beelden.

'Kun je nu al zien of er zand op het strand ligt, pappie?' vraag ik.

'Nee, Ir,' zegt papa. 'Maar blijkbaar is er een grote haven met een boel schepen.'

Papa schuift naast mij op de stoel en ik val er aan de andere kant bijna af. Hij legt zijn hand over de mijne en stuurt de muis over het scherm. Overal waar het pijltje een handje wordt, drukt hij op mijn wijsvinger.

We bekijken een hoop foto's van de straten en winkels in Esbjerg en we weten nu zelfs dat Esbjerg zijn eigen voetbalclub heeft en telkens weer zien we foto's met boten op. We stuiten op een tekst in het Nederlands waarin staat dat Esbjerg een van de grootste Deense havens is en we vinden zelfs een foto met zoenende zeehonden op!

En daar gaan wij lekker naartoe deze zomer! Ik weet nog niet of er zand op het strand ligt, maar als we zoenende zeehonden zullen zien, ben ik ook al heel blij.

7

Ik gooi mijn zwemtas op de ontbijttafel.

'Vandaag zwemmen we met kleren aan en doen we een redderspong,' zeg ik. 'Vandaag haal ik mijn zwembrevet!'

Papa trekt zijn wenkbrauwen op. 'Jij gaat nu toch niet zwemmen,' zegt hij verbaasd. 'Je bent pas ziek geweest!'

'Maar ik heb helemaal geen keelpijn meer,' sputter ik tegen. 'Ik heb veel gegeten en ik heb geen koorts.'

Papa zegt wel vijf keer nee na elkaar en al mijn protesten helpen niets.

Ik hol naar mama's slaapkamer. Het is er nog pikdonker en het ruikt er vies. Ik ruk het gordijn open, wrik het raam op een kier en loop dan naar het bed. Even vergeet ik wat ik wilde zeggen, want mama's gezicht ziet er zo verkreukeld uit, met een lange streep op haar ene wang. Maar dan schiet het weer door mijn hoofd en ik roep: 'Het is vandaag brevetzwemmen, mama! En nu mag ik niet gaan zwemmen van papa door die stomme keelpijn die al zo lang over is.'

Mama kreunt en komt half overeind. Ze slikt en trekt een pijnlijk gezicht.

'Heb je ook keelpijn, mam?' vraag ik. Zo ging dat bij mij immers ook toen ik keelpijn had. Je slikt en het doet zo'n pijn, dat je rare snoeten trekt.

'Nee, of toch een beetje,' zegt ze. 'Ik heb eigenlijk altijd een beetje een rauwe keel 's morgens.'

'Waarom ben je nog niet op?' vraag ik.

'Ik ga vandaag niet werken, kind,' zegt ze. 'Ik neem een dagje vrij om eens wat uit te rusten.'

Ik schop mijn pantoffels uit en kruip over het bed naar haar toe. 'Zeg jij dat ik mag zwemmen, mam,' smeek ik. 'Ik ben echt niet ziek en vandaag is het zwemmen met kleren aan voor een brevet. Als je met kleren aan zwemt, kun je trouwens geen kou-vatten. Toch?'

'Ach,' zegt mama met een hand voor haar ogen. 'Voor mij is het best.'

'Zie je wel!' Ik duik van het bed af, sleur de lakens een eind-je met me mee en ren de slaapkamer uit.

'Kun je wel!' zegt papa. 'Je mocht mama niet wekken. Slaapt ze eens uit. Je hebt de gordijnen toch niet opengemaakt?'

'Jawel,' murmel ik.

Ik ga ze weer dichtdoen en zeg dan: 'Van mama mag ik zwem-men, pap. Dan mag het van jou toch ook?'

'Nou, goed dan.'

Snel prop ik nog een oude bloes en broek bij mijn handdoe-ken en zwempak.

8

Het gaat prima in het zwembad. Ik spring mijn reddersprong en zwem mijn baantjes (wel vervelend met een bloes die aan je armen trekt). Bij het watertrappelen ga ik wel twee keer kopje-onder en dat mag eigenlijk niet. Maar de zwemjuf kijkt net de andere kant op, dus haal ik mijn brevet!

Jolien mag nog niet meedoen voor het brevet. Ze durft niet in het diepe te springen en kan nog maar twee baantjes na elkaar zwemmen. Vorige keer heeft ze wel haar brevet van 50 meter behaald. Ze staat aan de rand te klappertanden, terwijl ik mijn proef afleg.

Ik ben als eerste klaar en mag vrij zwemmen. Ik spartel naar Jolien en ze heft haar armen om al het water tegen te houden. Eindelijk zie ik mijn kans.

'Vertel je me nu dat nieuws van je?' vraag ik.

'Hm,' zegt Jolien. Ze kijkt over mijn hoofd heen naar Merel, die op het punt staat in het water te duiken. Ik heb zin om haar onder water te duwen tot al haar nieuws langs haar oren naar buiten borrelt. Maar ik zeg niets. Ik denk aan Esbjerg en de zoenende zeehonden.

'Het gaat om iets dat binnenkort zal gebeuren,' zegt Jolien.

'Jij gaat ook naar Esbjerg!' roep ik uit.

'Ach, jij met je Esbjerg!' Jolien schudt haar hoofd en likt haar mondhoek met het puntje van haar tong. 'Nee, Irena, het gaat niet om iets dat maar drie weken duurt. Het gaat over iets dat voor eeuwig en altijd is.'

'Tjonge, het zal wel iets met liefde te maken hebben,' zeg ik.

'Precies.' Jolien zuigt een teug lucht naar binnen. 'Mijn moeder heeft een nieuwe vriend. Hij heet Joost en hij is supertof en ze kennen elkaar nu al drie maanden en hij komt bij ons wonen,' gooit ze er in één adem uit.

'Gaan ze trouwen?' vraag ik.

'Dat weet ik niet,' zegt Jolien fronsend. 'Dat is toch niet belangrijk. Als ze maar lief zijn voor elkaar en niet gaan ruziemaken en schreeuwen, zoals mama en papa vroeger deden.'

'Heeft hij huisdieren?'

'Weet ik veel,' zegt ze. 'Of toch wel, ja. Hij heeft een kat, maar hij zal die wegdoen omdat wij goudvissen hebben.'

'Wat zielig voor die kat.'

Jolien wappert met haar handen boven haar hoofd. 'Wil je dan niet weten hoe hij eruitziet en wanneer hij gaat verhuizen en wat we allemaal samen zullen doen?'

'Ja, tuurlijk,' zeg ik. 'Maar ik zal pas echt weten hoe hij eruitziet, als ik hem zie.'

'Je kunt hem zien vanaf volgende week. In het weekend verhuist hij zijn spullen naar ons huis. Hij heeft een baardje en een beetje lang haar dat hij in een staartje draagt, rood haar, en een ...'

'Rood haar!' Ik kan mijn lach echt niet inhouden. Ik spetter een hoop water op, waardoor Tomas en Merel omkijken, en duik kreunend van het lachen onder water. 'Het is er een met rood haar!' zeg ik als ik proestend weer opduik.

'Wat is daar nu grappig aan, Irena,' zegt Jolien boos. 'Hij ziet er echt tof uit. Hij heeft van die groene ogen met lachrimpeltjes en hij kent een boel moppen en maakt je altijd aan het gieren. En mijn moeder is stapelverliefd op hem. Die loopt de hele tijd te zingen en maakt de laatste tijd altijd mijn lievelingseten klaar.'

'En wat is dat dan?' vraag ik.

'Spaghetti met gehaktsaus of frieten met hamburger,' somt Jolien op. 'Maar dat is nu niet belangrijk. Ik had het over Joost. Hij heeft nog iets fantastisch. Je raadt nooit wat.'

Ik kan het echt niet laten om haar een beetje te jennen.

'Sproeten?' zeg ik dus.

Jolien rolt met haar ogen.

'Doe niet zo flauw. Het is een ding dat hij hééft,' zegt ze met een plechtig gezicht. 'Het gaat niet over hoe hij eruitziet.'

'Een gouden horloge aan een ketting?' Ik zeg maar wat.

'Nee.'

'Zo'n grote, zware auto met dikke banden en een extra band achterop?'

'Puh,' zegt Jolien.

De zwemjuf blaast op haar fluitje en gebaart dat iedereen het water uit moet.

Bibberend schuift Jolien naar het laddertje en hijst zich het water uit. Ik trek mezelf op aan de rand van het zwembad en pets op handen en voeten naar de plaats waar Jolien net haar voet op de tegels wil zetten.

'Eerst zeggen,' zeg ik. 'Of ik wip je weer het zwembad in.'

Ze is een beetje blauw om haar mond, dus ik beslis om dat hoe dan ook maar niet te doen. Of ze het nu vertelt of niet.

'Hij heeft een boot,' zegt ze. 'Een hele grote. Met drie verdiepingen en op de bovenste verdieping een stuurwiel en zitbanken en daartussen een kajuit met bedden en beneden een soort woonkamertje met een tafel en langs de wanden weer zitbanken. En dan nog een soort tussendek waar de trappen op uitkomen. Je kunt die zitbanken uitklappen en er bedden van maken. Er is plaats voor acht mensen om op die boot te slapen en we gaan er in de vakantie mee varen.'

'Wauw!' zeg ik. Jolien stapt over mij heen en ik loop haar druipend achterna in de richting van de warme douches.

Ja, een boot, dat is wel iets bijzonders. Vooral als ik bedenk dat je er helemaal tot in Esbjerg mee kunt varen. Esbjerg heeft immers een haven!

's Avonds dans ik het hele huis door met mijn zwembrevet in mijn handen. Papa zegt wel honderd keer proficiat. Mama zegt niets. Ze ligt op bed. Ik ga haar slaapkamer in en net als ik mijn diploma wil laten zien, duikt ze weer onder de lakens.

'Nu niet, Ireentje,' zegt ze. 'Ik kan niet tegen drukte momenteel.' Ik doe niet eens druk! Ik laat gewoon mijn brevet zien.

Ik loop haar slaapkamer weer uit en leg het op de keukentafel. Papa belooft dat hij het zal inlijsten, maar ik weet niet of dat de moeite waard is.

9

Het huis ruikt lekker naar spaghetti als ik vrijdag na school thuiskom. Spaghetti klaarmaken is papa zijn specialiteit. Mama ligt nog in bed. Gisteren is ze de hele dag in bed gebleven. 'Hoe meer ik slaap, hoe vermoeider ik mij voel,' zei ze vanmorgen bij het ontbijt. Dat vind ik raar, hoor. Als ik een hele dag in bed moet blijven, kriebelt het de volgende dag zo in mijn lijf, dat ik gewoon niet stil kan blijven zitten.

'Schuif maar aan tafel,' zegt papa. 'Ik moet alleen nog de gemalen kaas halen.'

'Staat mama niet op om mee te eten?' vraag ik.

'Nee, Oliebol,' zegt papa. 'Ik breng haar eten straks op bed.'

Eigenlijk komt het wel goed uit dat mama niet mee-eet. Van papa hoef ik de spaghetti niet mooi om mijn vork te rollen. Ik mag zelfs een beetje mijn vingers gebruiken als de slierten in de war raken.

Er is geen school vanmiddag omdat het de laatste dag voor de paasvakantie is. Net als ik mijn spaghetti opheb, rinkelt de telefoon. Papa veegt zijn handen schoon aan zijn keukenschort en neemt op.

'Ja, hoor, prima,' hoor ik hem zeggen. 'Laat ze maar komen. Ik moet werken, maar ze redden het wel. Mijn vrouw is thuis en de buurvrouw is ook in de buurt.'

'Wie? Wat? Waar? Wanneer?' vraag ik als papa de hoorn neerlegt.

'Jolien komt langs,' zegt hij.

'Jippie!' juich ik.

'Ze brengt haar broertje mee.'

'Lem?'

'Ja,' grinnikt papa. 'Ze heeft er toch maar één?'

'O nee,' kreun ik. 'Waarom moet dat?'

'Haar mama vraagt of ze hier een beetje kunnen rondhangen terwijl zij spullen gaat inpakken,' legt papa uit. 'Een of andere vriend gaat verhuizen. Alles moet vandaag klaar zijn, want morgen komt de verhuiswagen.'

Ik leg papa vlug even uit wie Joost is.

'Tof,' zegt papa.

Om halftwee staat Jolien op de stoep. Papa drukt een zoen op mijn kruin.

'Hou het rustig, kinderen,' zegt hij. 'Loop eerst bij Leen langs als er een probleem is, Ir.'

Eerst spelen we een beetje met mijn barbiepoppen. We trekken hun reiskleren aan en ik moet natuurlijk weer aan Esbjerg denken en vertel Jolien alles wat ik al op het internet gezien heb. Maar dan gooit dat kleine, stomme broertje van haar alle schoentjes en handtasjes door elkaar. Hij neemt een van mijn poppen en wringt haar benen in een rare hoek en daardoor wipt er een been uit. Het is mijn beste barbiepop: die met de roze en paarse strepen in haar haar. Vervolgens springt die kleine apenkop in Joliens nek en trekt aan haar vlecht.

'Laat dat!' gilt Jolien. Ze wordt rood van woede en klauwt met gespreide vingers in Lems haar. Ze rollen over elkaar heen van mijn bed naar de kleerkast.

Net als ik denk dat Jolien het niet haalt, gebeurt er iets raars.

'GFT 201!' roept Jolien.

Meteen laat Lem haar los. Hij gaat rechtop zitten en drukt zijn hand tegen zijn hoofd.

'Oom Ronald,' zegt hij ernstig.

'AXW 458!'

'Meester Frank.'

'FZO 265!'

'Mijnheer Pauwels van nummer 61.'

En zo gaat het nog een tijdje door. Eerst denk ik dat die twee gek geworden zijn. Het lijkt wel of ze toverformules opsommen. Maar het helpt alleszins om Lem te doen ophouden met vechten.

'Heb je een blad papier, Irena?' vraagt Jolien.

Ik haal een vel uit de printer in de computerkamer.

'Ga jij nog maar wat nummerplaten opschrijven,' zegt Jolien dan, en ze stuurt Lem het huis uit.

'Lem is gek op cijfers,' legt Jolien uit als Lem buiten is. 'Nummerplaten van auto's en kentekens van motorfietsen en zo. Eigenlijk alles wat cijfers heeft. Lezen en schrijven kan hij nauwelijks, ook al zit hij al in het derde leerjaar. Maar met nummerplaten is hij uren zoet. Straks komt hij terug om te vragen welke nummerplaat bij wie hoort.'

Ondertussen spelen wij rustig verder. Jolien vertelt honderduit over Joosts boot. Uiteindelijk weet ik waar elke bank staat en waar het wc'tje is en de kasten en het hok met de reddingsvesten en de oliejassen.

Na een hele tijd komt Lem terug met zijn papier met letters en cijfers. Ik moet aanwijzen welk kenteken bij welke buur hoort.

'Ik ken ze ook niet allemaal, Lem!' zeg ik.

Terwijl Jolien en ik *Levensweg* spelen, leert Lem de hele lijst van buiten. Zo wordt het toch nog een leuke middag.

Als papa thuiskomt, zet hij dat been terug in de barbie. Mama heb ik de hele middag niet gezien. Ze werd zelfs niet wakker toen Lem en Jolien ruzie hadden. Toen maakten die twee nochtans veel kabaal. Veel meer dan ik gisteren met mijn zwemdiploma.

10

'Heb jij ook buikpijn?' vraag ik.

'Buikpijn?' vraagt papa.

'Van het lachen,' zeg ik, en ik barst in een nieuwe lachbui uit. Ik druk mijn handen tegen mijn buik. Ook mijn wangen zijn moe gelachen. Het programma is net uit. Het was een uitzending met gekke filmpjes die mensen opgestuurd hadden. We hebben bijna een uur onophoudelijk gelachen.

'Bedtijd nu, Ir,' zegt papa.

Ik ga naar de keuken waar mama geroosterde boterhammetjes eet. Ze legt een slappe hand op mijn hoofd terwijl ik haar een nachtzoen geef. Ik kijk naar haar gezicht dat nog meer kreukels heeft dan vanmorgen. Toch heeft ze weer bijna de hele dag geslapen.

'Slaapwel, Irena,' zegt ze.

'Om het eerst naar boven!' zegt papa. Ik storm de trap op, maar papa speelt vals, want hij houdt mijn been tegen. Toch ben ik als eerste boven. Ik kom bijna niet bij van het lachen.

Ik duik in mijn pyjama en poets mijn tanden.

'Waarom is mama nog zo moe?' vraag ik met een mond vol tandpasta. Het klinkt meer als 'aa-o-i-a-a-o-oo-oe'. Papa schiet weer in de lach en ik verslik me bijna in mijn spoelwater.

Als ik mijn mond afgeveegd heb, stel ik mijn vraag opnieuw.

'Mama heeft toch de hele dag geslapen,' zeg ik. 'Waarom is ze dan nog zo moe?'

'Omdat ze al heel lang veel te veel gewerkt heeft,' zegt papa. 'Daar kun je zo verschrikkelijk moe van zijn, dat je een heel lange tijd veel moet slapen om weer uitgerust te zijn.'

'Hoe lang is een lange tijd?' vraag ik.

'Weet ik nog niet, Ir,' zegt papa.

'Zal mama veel slapen als we in Esbjerg zijn?' vraag ik.

'Vraagstaart,' zegt papa.

'Ja?'

'Dat zien we dan wel,' zegt papa.

Hij geeft mij een nachtzoen en ik kruip in bed. Ik lees nog een beetje, maar mijn ogen worden moe. Ik leg mijn boek op mijn nachttafeltje en knip het licht uit.

Maar dan ben ik opeens weer wakker. Met één oog kijk ik naar de rode cijfertjes van mijn wekker, 00:17. Waarom word ik nu wakker? Ik word nooit wakker op dit uur.

En dan hoor ik het gehuil. Het klinkt zo eng, dat ik eerst onder mijn dekbed wegduik. Ik trek mijn knieën op tot tegen mijn kin en sla mijn armen om mijn enkels. Zo blijf ik minutenlang liggen. Het huilen wordt wat minder, maar houdt niet op. Ik laat mijn benen los en schop mijn dekbed van me af. Ik wip mijn bed uit en trek de deur van mijn slaapkamer op een kier.

Er brandt licht op de gang. Met mijn rug schuif ik langs de

muur. Voet voor voet zet ik tot ik bij de slaapkamer van mama en papa kom. De deur is toe, maar mama snikt zo luid, dat de buren het vast ook horen.

'Ssst,' zegt papa. 'Stil nu. Het wordt heus beter met nog een weekendje rust. Irena kan morgen best naar opa. Op zondag ben ik thuis. Dan heb je nog twee dagen om uit te rusten.'

'Het wordt niet beter met slapen, Herman,' zegt mama. 'Het wordt alleen maar erger. Ik heb overal pijn en mijn hoofd is gevuld met watten in plaats van met hersenen. Ik kan gewoon niet meer nadenken.'

'Misschien moet je wat werk naar je collega doorschuiven en het in de eerste weken rustig aan doen,' zegt papa.

'Collega!' valt mama uit. 'Je weet best dat Adrie er niets van bakt. Als ik niet alles nakijk, staat elk rapport boordevol fouten. En dat kan ik niet hebben.'

'Je vraagt te veel van jezelf, lieverd,' sust papa. 'Je kunt niet werken voor twee. Denk liever aan de leuke dingen die eraan komen. De lente is begonnen, de avonden worden langer.'

Hij somt een heleboel dingen op die grote mensen leuk vinden. 's Avonds buiten zitten met de tuinfakkels aan. Boek op de schoot, wijntje bij de hand. Alsof het niet stukken leuker is om naar een spannende film op tv te kijken ... Gaan fietsen op zondagmiddag. Bah! Een barbecue houden met Leen en Roger. Alleen leuk als er worstjes bij zijn en koude aardappeltjes met veel mayonaise ... En dan zegt papa iets dat wel superleuk is.

'Vergeet niet,' zegt hij, 'dat we in juli drie weken naar Esbjerg gaan.'

'Esbjerg.' Ik hoor mama zuchten tot waar ik sta. 'Ik mag er niet aan denken.'

'Het wordt een heerlijke vakantie.' Papa klinkt als een spinnende poes. 'De natuur is prachtig in Denemarken en we kunnen elke avond de zon zien ondergaan in zee.'

Ik hoor mama iets mompelen, maar versta haar niet. Waarschijnlijk heeft papa het ook niet goed gehoord, want hij gaat gewoon door.

'Irena kijkt er ook heel erg naar uit,' zegt hij. 'Ik denk dat ze elke nacht droomt van Esbjerg. Het is ook de eerste keer dat ze zo'n verre reis zal maken. We zullen 's morgens om zes uur vertrekken. Dan moet het lukken om er voor zonsondergang aan te komen.'

Maar dan begint mama opeens weer te huilen. Het lijkt een beetje op schreeuwen en huilen tegelijk. En het is zo eng, dat ik bijna meteen naar mijn kamer terugloop.

'Herman, ik wil niet!' huilt ze. 'Jullie zijn maar aan het doordrammen over Esbjerg hier en Esbjerg daar. Ik wil geen verre reis! Ik wil mijn eigen huis, mijn eigen bed! Mijn hoofd kan al die nieuwe dingen nu even niet hebben. Misschien volgend jaar. Alleszins een andere keer, niet nu.'

Geritsel en geschuifel. De lattenbodem van het bed kraakt. Mama's snikken klinken nu gesmoord.

'Stil maar, lieverd, rustig maar,' zegt papa zacht. 'Wind je niet op. Het is nog meer dan drie maanden. Tegen die tijd ben je er helemaal bovenop.'

'Ik wil rust in mijn hoofd, Herman,' zeurt mama. 'Die watten in mijn schedel kunnen nu geen plaats maken voor Esbjerg. Ik kan het gewoon niet.'

Ik krijg het helemaal koud daar in de gang. Het is alsof er naalden van ijs in mijn voeten prikken. Ik schuifel zo vlug ik

33

kan achteruit, in de richting van mijn kamer, trek de deur achter mij toe en duik onder de lakens. Ik wil huilen, maar de tranen komen niet. Ik moet er iets op vinden. Ik moet zorgen dat mama wel zin krijgt om naar Esbjerg te gaan. Ik moet er eens goed over nadenken.

11

Zaterdagmiddag brengt papa me naar opa. Ik heb er eigenlijk niet veel zin in. Ik was net begonnen aan een puzzel van duizend stukjes en had al bijna alle randjes. Net toen ik alle stukjes op kleur gesorteerd had, riep papa dat ik me moest klaarmaken.

'Ik zal heus wel stil zijn, hoor, pap,' riep ik terug. 'Mama hoeft niet naar me om te kijken. Ze kan de hele middag op haar kamer blijven en vanavond zorg ik wel voor mijn eigen avondeten.'

'Nee, Irena,' antwoordde papa. Hij klonk streng. 'Binnen tien minuten verwacht ik je beneden, klaar om te vertrekken.'

Ik dacht er nog even aan om de puzzel mee te nemen, maar dan moest ik alle stukjes weer in de doos gooien en was al dat sorteerwerk voor niets geweest. Uiteindelijk griste ik alleen mijn boek over Columbus mee. Ik nam wraak op papa door in het voorbijgaan een kleefbriefje met *Ik ben gek* op zijn jas te plakken. Dat mag toch vandaag? Het is 1 april.

Als we uit de lift stappen, wacht opa ons op in de deuropening van zijn flat.

34

Eerst moet ik in de keuken onder de deur van zijn hangkast gaan staan en meet hij met zijn vingers hoeveel ik gegroeid ben.

'Nog vier vingers en je kruin raakt de onderkant van de deur,' zegt hij. 'Kind, wat word jij groot. Dat had je oma nog moeten meemaken.' En dan moet hij heel lang zijn neus snuiten, maar ik weet wel dat dat is omdat hij een beetje moet huilen als hij aan oma denkt.

We spelen *Levensweg* en opa wint, hoewel hij zijn best deed om niet te winnen. Maar dat lukt niet altijd met dat spel.

Daarna werk ik nog een beetje aan onze spreekbeurt. Ik maak het stukje over de eerste reis van Columbus, maar dan hou ik op. Jolien doet immers de tweede reis en over de derde reis hebben we nog niets afgesproken.

'Ik verveel mij, opa,' zeg ik. 'Doen we nog een keer *Levensweg*?'

'Nu niet, Ireentje,' zegt opa. 'Ik wil een documentaire zien op tv.'

'Is het spannend?' vraag ik.

'Ja, hoor,' lacht opa. 'Het gaat over spinnen die elkaar opeten.'

'Jakkes,' zeg ik.

Ik kijk een stukje mee naar dat spinnengedoe met mijn ogen halfdicht, maar het is nog enger dan ik mij had voorgesteld. Al dat vieze gewriemel van spinnenpoten.

Ik haal de stiften uit de la en begin een beetje te krabbelen op een blad. Ik kan er niets aan doen, hoor, maar opeens staat mijn blad vol met *Esbjerg, Esbjerg, Esbjerg* ... En dan krijg ik ineens een reuzegoed idee. Opa heeft precies de goeie kleur grijs die ik nodig heb. Ik ben er zeker van dat mama mijn tekening prachtig zal vinden.

Ik ben bijna klaar met mijn tekening als opa's tv-programma uit is.

'Opruimen, meid,' zegt hij. 'Ik dek de tafel.'

Ik stop alle stiften weer in het buideltje en laat hem mijn tekening zien.

'Nou,' schokschoudert hij. 'Best mooi getekend. Maar ben je niet een beetje te jong om te zoenen?'

'Dit zijn zoenende zeehonden, opa!'

'O,' zegt opa. 'Ik dacht al dat je jezelf getekend had met je vriendje.'

Ik weet niet of hij het meent, want hij heeft een lachrimpel in zijn wang, een extra rimpel tussen alle andere. Ik leg mijn tekening in de hal, onder de kapstok waar mijn jas hangt.

We eten van die droge, korrelige, superdonkere boterhammen. Vreselijk! Ik krijg er maar één op. Opa blijft maar de ene boterham na de andere smeren. Het is ondertussen al donker geworden. Ik pulk het broodkruim uit de tweede boterham die opa op mijn bord gelegd heeft en maak er rolletjes van. Het lijken net minidolfijntjes die rond mijn bord zwemmen. Opa heeft het vast gezien, maar hij zegt er niets van. Hij eet en zwijgt en slikt hap na hap door.

Als de telefoon rinkelt, wip ik zowat een halve meter omhoog op mijn stoel. Het is zo raar om opeens een geluid te horen in dit stille huis, waar de donkere meubels op slapende olifanten lijken.

Opa knipt een schemerlamp aan alsof hij de telefoon niet kan vinden zonder licht.

'Mja,' zegt hij in de hoorn, met zijn mond vol brood. Hij wenkt mij.

'Het is je papa.'

Ik kan meteen raden wat papa mij te vertellen heeft.

'Hallo, Oliebol van me,' zegt papa. 'Ik hoop dat je je opa niet te erg afgebeuld hebt vanmiddag, want de brave man zal het nog eventjes met je moeten uithouden. Je mag vannacht blijven logeren en dan kom ik je morgenavond oppikken.'

'Nee, pap,' pruttel ik tegen. 'Ik wil naar huis. Ik verveel me hier.'

'Het is echt nodig voor mama, lieverd.'

'Maar jij bent toch thuis morgen!'

'Eh, dat is het juist, Ir,' zegt papa. 'Ik heb een extra dienst morgen. Ik moet inspringen voor een collega. Er is er maar één die jou nu lekker kan verwennen en dat is opa.'

37

'Maar ik wil verder werken aan mijn puzzel!' roep ik.

Dat is niet echt waar. Ik wil gewoon thuis zijn, lekker op mijn eigen kamer. En dan morgenochtend eens bij Jolien langsgaan. Ze zullen vast al alle spullen van Joost verhuisd hebben en dan kan ik eens zien hoe rood zijn haar nu eigenlijk is.

'Als je het echt wilt, breng ik de puzzel vanavond nog naar opa,' zegt papa.

'Dan moet je de randjes weer losmaken om de puzzel in de doos te stoppen,' zeg ik.

'Ik leg alle randjes wel keurig in het deksel van de doos.'

'Ik heb alle stukjes al op kleur gesorteerd. Ik wil er thuis verder aan werken,' zeg ik koppig.

'Het gaat niet, Ir,' zegt papa. Zijn stem klinkt opeens verder weg. 'Probeer het te begrijpen. Mama …'

'Ik ben toch groot genoeg om voor mezelf te zorgen!' roep ik in de hoorn.

'Ir …' Papa zucht. Het lijkt alsof ik zijn warme adem tegen mijn oor voel. Ik duw met de neus van mijn schoen tegen een poot van het lage tafeltje waarop de telefoon staat. Een klein stenen beeldje van een jongen met een mandje vol rode appels aan zijn arm wiebelt heen en weer. Als ik een stevige trap geef, valt het vast om. Opeens staat opa naast mij. Hij legt zijn hand om het beeldje en tilt het op. Mijn wangen beginnen te gloeien.

'Nou goed, pap,' zeg ik.

'Ik wist wel dat ik op je kon rekenen, Ir.' Ik hoor de opluchting in zijn stem. 'O ja, dit moest ik je nog vertellen. Jolien heeft juist gebeld. Ze was zo teleurgesteld dat ze je niet kon spreken. Ik heb opa's telefoonnummer gegeven, misschien belt ze je wel nog op. Tot morgen, Ir.'

'Tot morgen.'

Ik leg de hoorn neer. Opa zet het beeldje terug op het tafeltje.

'Ik blijf logeren,' zeg ik.

'Ja,' zegt opa. Zijn rimpelige, dunne handen friemelen aan de knopen van zijn hemd. 'Dat is leuk.'

Ik zeg niets.

12

'Ach,' zegt opa. Hij raakt met zijn vingertoppen zijn voorhoofd aan. 'Dat ik daar niet eerder aan gedacht heb!'

Ik schrik van zijn ernstige gezicht. 'Wat?'

'Het is weer zaterdagavond ...' mompelt hij.

'Nou en?'

Opa zucht. 'Dan kijken de buren urenlang tv en hun zoon speelt computerspelletjes en hun dochter ligt met een koptelefoon op bed en luistert de hele avond naar muziek en laat van die felle spots branden en van die kleurlampen.'

'Daar heb jij toch geen hinder van,' zeg ik, 'als ze toch een koptelefoon opzet.'

'De stroom, Irena!' Opa heft zijn handen boven zijn hoofd. 'Ze verbruiken te veel elektriciteit en dan is er niet genoeg stroom voor alle flats in dit gebouw.'

Ik haal mijn schouders op. Wat heeft dit nu allemaal te betekenen?

'Meestal valt dan om halfacht de televisie uit en heb ik nog net genoeg stroom om een noodlampje te laten branden.'

Mijn mond valt open van verbazing. Ik denk dat ik er even heel idioot uitzie, maar opa ziet mij niet, want op dat moment verstopt hij zijn hele gezicht achter zijn rimpelige handen.

'Hoe vervelend, net nu jij hier bent.' Hij klinkt een beetje als een oude walrus. 'Voor mezelf maakt het niet veel uit, dan kruip ik gewoon vroeg in bed.'

'Pfff,' blaas ik. Ik krijg weer zin om ergens tegen te trappen.

Opa laat plots zijn handen zakken. 'Tenzij …'

'Tenzij wat?' vraag ik.

'Kun jij goed fietsen?'

Wat heeft dat er nu weer mee te maken?

'Ja,' zeg ik.

'Als ik de hometrainer op het stopcontact aansluit, kun jij voor extra stroom zorgen.'

Dat heb ik nog nooit gehoord. Maar ja, wij wonen ook niet in een flat.

'Ik maak het even in orde,' zegt opa. 'Let jij hier op of de schemerlamp blijft branden.'

Ik staar mij suf naar die schemerlamp. Na een tijd zie ik overal omgekeerde paarse peren om me heen. Ondertussen rommelt opa in de logeerkamer.

'Nog even wachten,' roept hij.

'Ja-a.'

'Bijna!'

'Oké.'

Even later komt hij met kleine blosjes naast zijn brede glimlach weer de woonkamer in.

'Ik heb alles klaargezet,' zegt hij. 'Als jij nu een uurtje hard trapt, kunnen we de hele avond tv kijken.'

In de logeerkamer slingeren een hoop kabels als gevaarlijke slangen rond de hometrainer in het midden. Eén kabel vertrekt ergens onder het zadel en leidt naar een stekker die op een stopcontact is aangesloten. Ik probeer niet op de draden te stappen en klauter op de fiets.

'Hard trappen nu, Irena,' moedigt opa mij aan. 'We hebben een hoop elektriciteit nodig.'

Hij trekt de deur achter zich dicht en laat mij alleen in het benauwde kamertje. Na enkele minuten proef ik al het zoute zweet op mijn bovenlip. Na een kwartier wordt het steeds moeilijker om de pedalen aan het draaien te houden. En dit moet ik een uur volhouden?

Als ik zo'n halfuurtje aan het trappen ben, hoor ik gekrabbel bij de deur. Ik gluur onder mijn rechterarm door. Opa heeft een brief onder de deur naar binnen geschoven. Wat heeft dit te betekenen?

Ik hou op met trappen en stap van de fiets nog voor het wiel ophoudt met draaien. Ik gris de brief van de grond.

Het is een dubbelgevouwen blad papier. Ik sla het open. Ik had het kunnen weten! Ik had het moeten weten! Opa heeft met een dikke viltstift op het blad geschreven. Alleen de datum: *1 april.*

Ik stuif de logeerkamer uit met de brief wapperend in mijn hand. Opa staat in het midden van de woonkamer en vlecht zijn vingers ineen. Hij knippert verlegen met zijn ogen en wijst naar het lage tafeltje dat hij voor de bank geplaatst heeft. Er staan kommetjes met chips klaar. Kaasblokjes liggen in keurige rijtjes

op een plankje. Worstjes zijn in gelijke schijfjes gehakt en hebben een prikkertje in hun rug. Er wachten twee blikjes cola aan de ene kant van het tafeltje en een biertje aan de andere kant. En in het midden van al die lekkernijen houdt het stenen jongetje zijn mandje met rode appels vast.

'Ik hoop dat je het hier toch een beetje leuk vindt vanavond,' zegt opa.

Ik vind het al leuk dat ik niet meer hoef te fietsen.

13

Opa wekt mij met de telefoon in zijn hand. Hij heeft een extra toestel, zo'n draadloos ding, dat hij 's nachts naast zijn bed legt.

Zo hoef ik niet op te staan en naar de woonkamer te lopen.

'Een vroege vogel aan de lijn,' geeuwt opa. 'En het is dan nog voor jou.'

Hij duwt het toestel in mijn slaperige handen en loopt op zijn blote voeten de logeerkamer uit.

Ik steun op één elleboog en knipper verdwaasd met mijn ogen. Mijn blik valt op de hometrainer die we met kabels en al in een hoek geschoven hebben en ik voel mijn wangen weer warm worden.

'Hallo? Is daar iemand?' schalt Joliens stem in mijn oor.

'Hoi, Jolien,' zeg ik.

'Ik kan gewoon niet meer slapen van de zenuwen!' roept ze. 'Het is hier allemaal zo anders en zo spannend en zo nieuw. Kom je gauw langs?'

'Ik ben nog bij mijn opa,' zeg ik. Maar dat weet Jolien natuurlijk wel: ze heeft immers opa's nummer gebeld!

'Kom je vanavond?' vraagt ze. Dan vertelt ze het hele verhaal van de verhuizing van de vorige dag. Ze hebben vier maal zeventig kilometer moeten rijden met een bestelwagen om Joosts spullen te verhuizen. En nu is Jolien alleen thuis met Lem omdat haar mama en Joost al heel vroeg in de ochtend vertrokken zijn.

'Ze varen vandaag de boot naar de jachthaven,' zegt ze. 'Weet je dat ze gisteren ruzie hadden over die boot? Joost zei dat hij nooit iets met iemand zou beginnen als er geen jachthaven in de buurt was. En toen werd mama boos en ze zei dat hij meer van zijn boot hield dan van haar. Het was de eerste keer dat ze zo'n ruzie hadden en ik vond het echt niet leuk. Ze hebben een halfuur niet met elkaar gesproken, maar toen vertelde Joost

43

weer een paar grappen en mama barstte in lachen uit en toen deden ze weer heel verliefd …'

Ik lig daar maar in bed met de telefoon tegen mijn oor, terwijl Jolien babbelt en babbelt. Haar woorden zijn als gonzende insecten in mijn hoofd. Het zijn er zo veel, dat ze een dikke, zoemende wolk vormen. Opeens klaart de donkere wolk in het midden op en ik zie mama voor mij. Ze zit tussen grote stapels dossiers en haar gezicht is bleek en haar ogen groot. Haar handen trillen als ze een nieuw dossier van een hoge stapel neemt.

'Wat vind jij van zo'n naam, Irena?' hoor ik Jolien weer.

'Wat?' schrik ik. Ik wis mama's beeld uit mijn hoofd en probeer me Joliens laatste woorden te herinneren.

'Luister jij eigenlijk wel?' vraagt ze.

'Jawel, maar ik ben pas wakker. Ik weet niet eens of dit telefoongesprek wel echt is of gewoon nog een stuk van mijn droom.'

'Ik ben het heus, hoor!' loeit Jolien in mijn oor. 'En ik vroeg wat je van die naam vond. De Kievit is toch een dwaze naam voor een boot, nee? Als het nu nog de naam van een zeevogel of een vis was. Maar De Kievit! Hoe verzint hij het! "De romp is kievitsblauw geschilderd," zei Joost. Weet jij wat voor soort blauw dat is?'

'Hm, nee,' zeg ik.

'Ik heb trouwens nog een heel bijzonder nieuwtje te vertellen,' fluistert ze.

Ik ben meteen klaarwakker.

'Ze gaan toch trouwen,' flap ik eruit.

'Nee, jij ook altijd met je trouwen!' Jolien zwijgt. Ik hoor haar adem in mijn oor ruisen. 'Ze gaan een week op reis!'

'Dus toch een huwelijksreis!' roep ik uit.

'Als je het zo wilt noemen,' zegt Jolien. 'Maar het leuke is dat wij mee mogen, Lem en ik. Joost wilde eigenlijk alleen met mama, maar dat wilde mama niet. "Er zijn al zoveel veranderingen voor de kinderen," zei mama. "Ik laat ze nu niet een hele week achter." En Lem en ik deden onze best om als zielige puppy's te kijken en toen zei Joost: "Nou goed, mijn boot is toch groot genoeg voor acht mensen, ze mogen mee."'

Ik krijg plots een reuzeleuk idee. Het is alsof alles op zijn plaats valt.

'Esbjerg!' roep ik uit. 'Jullie kunnen naar Esbjerg varen! Dat ligt ook aan de zee en heeft een heel grote haven. En dan zijn we een hele week samen op reis.'

'Dat gaat niet, suffie,' zegt Jolien. 'Wij gaan nu, in de paasvakantie. Niet in de zomervakantie. We vertrekken vrijdag. Komende vrijdag, over …'

Ik hoor Jolien tellen en kijk naar mijn vingers.

'… over vijf dagen al!'

'O,' zeg ik, en ik laat me achterover op mijn hoofdkussen vallen.

'En we gaan naar Engeland. Joost heeft het mij getoond op de kaart. We steken het kanaal over en varen naar Harwich.'

'O,' zeg ik weer. Dan is Jolien bijna de hele paasvakantie weg!

'We moeten onze spreekbeurt nog afmaken,' zeg ik. Ik heb opeens zin om te gaan zeuren. 'We hebben niet zoveel tijd meer, we moeten als eerste na de paasvakantie. Dat ben je toch niet vergeten?'

'Ik heb al een stukje gemaakt, hoor. Ik heb al de jeugd van Columbus in Genua gedaan en zijn eerste reis.'

'Maar dat zou ík toch doen, Jolien!' roep ik uit. 'Dat hebben we zo afgesproken: ik de eerste reis en jij de tweede en dan moeten we nog eens zien hoeveel reizen er nog volgen en het werk verdelen.' Ik word er zo boos van dat we nu allebei hetzelfde stukje gedaan hebben. Misschien had ik toch beter met iemand anders samengewerkt. Het is altijd hetzelfde met Jolien. Als je iets met haar afspreekt, vergeet ze het en dan heb je dubbel zoveel werk.

'Ik zie je nog wel,' zeg ik kortaf, en ik druk het gesprek uit.

'Wanneer?' hoor ik nog een dun stemmetje voor de kiestoon inzet.

14

Er is niets, de hele dag lang niet, dat mij weer vrolijk maakt. Opa wil backgammon spelen, maar ik zeg dat ik aan Columbus moet werken. En terwijl ik boven mijn boek hang, zie ik opa achter zijn krant vandaan gluren. Ik denk dat hij doorheeft dat ik eigenlijk niet veel uitricht.

's Middags bakt hij kroketten voor mij, maar ik snij ze gewoon in stukjes en prop ze in mijn mond. Anders peuter ik de puree uit het korstje en plet mijn hoop puree tot een platte schijf en eet lekker eerst die heerlijke korstjes op. Maar daar heb ik nu geen zin in.

De middag lijkt eeuwen te duren. Het klaart wat op, met een piepklein zonnetje. Tussen de vier muren van opa's koertje wordt het zelfs een beetje warm, zodat ik buiten kan spelen. Met stoepkrijt teken ik een grote berg bananenijs waar een mannetje af glijdt. Maar als ik aan Jolien denk, word ik weer heel boos. Ik kras wel honderd keer over de berg tot het alleen nog een grote opgevulde cirkel in verschillende kleuren is.

Ik ga tegen de muur zitten waar het meeste zon op valt, trek mijn benen op en laat mijn hoofd op mijn knieën rusten. Ik wil van Esbjerg dromen, maar er komen geen gedachten. Zelfs de zoenende zeehonden kan ik niet meer voor mijn ogen zien. Steeds zeilt een boot door mijn hoofd, met twee lachende kinderen op, een meisje en een jongen die een beetje kleiner is. Ze wuiven en ze hebben zo'n brede glimlach, dat het wel lijkt of iemand een banaan op hun gezicht getekend heeft.

's Avonds eten we weer van die harde bruine boterhammen. Ik krijg er maar een halve op en opa vertelt over oma, maar ik word er niet vrolijk van en hij evenmin. Na het eten duikt hij weer achter zijn krant en zit de hele tijd zijn neus te snuiten.

Papa komt als het al weer donker is en ziet meteen aan mijn gezicht dat hij niet moet vragen of ik een leuke dag heb gehad. Ik gris mijn spullen bijeen, wuif een groet naar opa en trek papa mee naar buiten. We zitten al in de auto als ik opeens aan mijn tekening van de zoenende zeehonden denk. Ik gooi het portier open en loop terug naar opa's flat, maar opa staat al in de gang met de tekening in zijn handen.

'Hier,' zegt hij. 'Niet vergeten.'

Ik neem de tekening beet, maar opa laat niet los.

'Kom gauw weer eens logeren, Irena,' zegt hij. 'Ik zit niet graag in het donker op zaterdagavond.'

Ik geef hem toch maar een zoen en hij kriebelt eens in het

putje in mijn nek en dan loop ik vlug terug naar de auto.

'Wat ben jij nu zo aan het lachen?' vraagt papa.

Ik zeg het lekker niet.

15

Ik word wakker met de flarden van een malle droom in mijn hoofd. Het ging over kinderen die op reis gaan met een boot, die ze moeten voortbewegen door de hele tijd op een hometrainer te fietsen. Een soort waterfietsboot, waarbij je voeten niet nat worden.

Vandaag werkt mama van halfnegen tot vijf en papa heeft weer een vroege dienst. Kort na de middag zal hij thuiskomen. Op zulke dagen mag ik alleen thuis blijven als er geen school is. Ik slaap toch lang en dan ben ik maar heel even alleen thuis. Ik rek mijn armen uit terwijl ik de trap af loop in het stille huis. Ik schrik mij dan ook rot als mama aan de keukentafel zit.

'Ben je niet op je werk?' flap ik eruit. 'Het is toch maandag!'

Mama zegt niets, maar schudt haar hoofd. Ze heeft haar haar nog niet gewassen en er hangen vettige slierten op de kraag van haar ochtendjas.

'De dokter komt straks,' zegt ze met een stem als van een pop die je met een sleuteltje opwindt. 'Het is nog niet beter met mij.'

'Je hebt toch het hele weekend kunnen rusten?' zeg ik. Heb ik mij een heel weekend voor niets bij opa zitten vervelen?

'Het betert niet,' zegt mama. 'Het wordt alleen maar erger

en erger. Mijn hoofd zit volgepropt met watten. Er is geen plaats meer voor heldere gedachten. En ik heb pijn. Overal pijn.'

'Neem een bruistablet, mam,' zeg ik. 'Dat helpt tegen de pijn.'

'Niet bij mij.'

Ze klinkt zo zielig, dat ik meteen allerlei manieren verzin om haar vrolijker te maken. Moppen vertellen. De afwas voor haar doen. Mijn bed opmaken en mijn kamer opruimen. Of zou ik haar vertellen welke grap opa met mij uitgehaald heeft?

Dan weet ik het opeens. De zoenende zeehonden. Ik haal de tekening van mijn kamer en leg hem voor haar op tafel. Aandachtig bekijk ik haar gezicht.

Haar ogen lichten een beetje op en ze glimlacht zelfs. Goed zo. Ik ben op de goeie weg.

'Leuk, hè, mam,' zeg ik.

'Wie zijn het?' vraagt ze.

'Wát zijn het!' roep ik uit. 'Het zijn geen mensen, het zijn …' Ik wacht eventjes. 'Wat denk je dat het zijn?'

'Teddyberen die elkaar een knuffel geven,' raadt mama.

'Nee, mam,' zeg ik. 'Zoenende zeehonden! Ze zijn grijs met zo'n zacht vel en zo reuzelief. Ik heb ze speciaal voor jou getekend.'

Mama's glimlach wordt nog een beetje breder. Er komt een hikkend geluidje uit haar keel. 'Wat lief dat je dit voor mij gemaakt hebt,' zegt ze.

'Maar weet je waar je ze echt vindt, mam?' vraag ik.

'Echt?' Ze kijkt mij een beetje achterdochtig aan.

'In Esbjerg!' zeg ik triomfantelijk. 'Het wemelt er van de zoenende zeehonden, mam. Daar zul je nog eens wat zien!' En ik kwebbel maar door over die zeehonden en dat we nog steeds niet weten of er een zandstrand of een keienstrand is. Ik verzin er nog bij dat ze in Esbjerg het beste bananenijs van de wereld hebben en dat iedereen er minstens twee ijsjes per dag eet, maar opeens hou ik op.

Mama's ogen lijken wel van glas. Haar gezicht is naar mij toe gekeerd, maar haar ogen zien mij niet. Ze heeft dodepoppenogen.

Misschien heb ik te veel gepraat. Daar wordt ze vast ook moe van, met al die watten in haar hoofd.

Ik zeg niets meer en mama zegt ook niets.

Ik eet mijn cornflakes op, drink mijn melk en mama blijft daar maar zitten. Haar kin steunt op haar hand en haar elleboog drukt net op de snorharen van een van de zeehonden op mijn tekening. En dan staat ze op en vult een glas water en zet het neer op de andere zeehond. Als ze het glas weer optilt om te drinken, heeft die zeehond een grote kring rond zijn oog. Een zeehond met een blauw oog. Alsof hij gevochten heeft in plaats van gezoend.

Ik probeer te doen alsof ik het niet zie, maar dat lukt niet. En ik word zo verdrietig van die zielige zeehond, dat ik bijna begin te huilen.

Mama kijkt mij opeens aan. Ze heeft weer echte mensenogen.

'We gaan niet naar Esbjerg deze zomer,' zegt ze.

Ik tuimel bijna van mijn stoel.

'Misschien ooit nog wel, maar zeker niet deze zomer,' zegt ze. 'Ik kan het nu niet. Het gaat niet goed met mij, Ir. Ik kan zo'n reis niet aan.'

'Maar het is nog meer dan drie maanden,' roep ik uit. 'Je kunt toch beter worden ondertussen!'

Mama schudt haar hoofd.

'Ik kan het nu echt niet,' zegt ze. 'Je moet het begrijpen. Ik kan zo'n reis nu echt niet maken. Ik zal nog heel lang en heel veel moeten rusten om beter te worden.'

'Maar je kunt daar ook rusten!' zeg ik. 'De hele vakantie lang hoef je niets te doen, alleen maar op de bank liggen en rusten!'

Mama zucht diep, legt haar vingers rond het glas en maakt een lichte beweging met haar pols. Het water klotst kleine rondjes in het glas.

'We hebben de reis al geannuleerd, Ir,' zegt ze.

Ik heb dat woord nog nooit gehoord.

'Opgezegd,' legt mama uit als ze mijn gezicht ziet. 'Het reisbureau gebeld om te zeggen dat het niet doorgaat.'

Ik wil iets zeggen, maar er komt alleen onverstaanbaar gepruttel uit mijn keel.

'We gaan niet naar Esbjerg deze zomer,' zegt mama nog een keer.

Eindelijk komt er iets uit mijn mond.

Een korte maar harde 'Nee!'.

Ik ren de keuken uit en loop naar mijn kamer. Ik knal de deur achter mij dicht en stort mij op mijn bed. Ik huil tot ik geen tranen meer heb en eigenlijk hoop ik dat mama komt om mij te troosten en te zeggen dat het niet waar is. Maar ze komt niet.

16

's Middags eten mama en ik soep met boterhammen. Eerst zeg ik niets, maar dan vertel ik een beetje over Columbus en zijn eerste reis, maar mama zegt alleen maar 'O' en 'Hm'. Ik hou dan maar op. Misschien ben ik weer te druk. Gelukkig rinkelt op dat moment de telefoon. Meteen wip ik van mijn stoel af en ren naar het toestel.

'Hallo, met Irena,' zeg ik in de hoorn.

Eerst hoor ik alleen het geluid van een radio en een kinderstem op de achtergrond en dan eindelijk Jolien.

'Je moet nu komen,' sist ze. 'Dan kun je Joost zien. Doe maar alsof je voor onze spreekbeurt komt.'

'Prima,' zeg ik luid. 'Dan kunnen we flink doorwerken. Ik breng het boek van Columbus mee.'

'Ik moet naar Jolien, mama,' zeg ik als ik weer op mijn plaats zit. 'We moeten verder werken aan onze spreekbeurt.'

Mama knikt en zwijgt.

Ik schrok mijn soep verder op en ben tien minuten later de deur uit.

Ik bel aan bij Jolien en ze loodst mij met een samenzweerderige glimlach de woonkamer in.

'Dag Irena,' zegt Joliens moeder.

'Dag mevrouw,' zeg ik terwijl ik langs haar heen naar Joost gluur.

'Zeg nu eindelijk eens Rein, Irena,' zegt Joliens moeder. 'En dit hier is Joost.'

Nu kan ik hem eindelijk eens goed bekijken terwijl ik zijn hand schud.

Hij past helemaal niet bij Rein, vind ik. Hij is een grote slungel met sproeten en haar (rood haar!) in een staartje en hij is heel mager. Rein is klein en een beetje mollig, met poppenhandjes en korte vingers.

Rein legt haar kleine hand in de grote knuist van Joost en ze kijken elkaar zo verliefd aan, dat ik bijna met mijn ogen begin te rollen. Ik kan mij nog net inhouden.

'Zouden jullie niet beter boven werken?' vraagt Joliens moeder als we onze boeken en papieren op de tafel in de woonkamer uitspreiden.

'Nee-ee,' schudden we tegelijk ons hoofd.

'Hier beneden is het veel gezelliger,' zegt Jolien. 'Dan kunnen we beter werken.'

Dat is natuurlijk helemaal niet waar, maar boven kunnen we Joost niet begluren.

'Waar moeten Joost en ik dan de kaarten openspreiden?' vraagt Rein. 'Wij hebben ook iets voor te bereiden, hoor! We vertrekken vrijdag.'

'Ach, Sausje,' zegt Joost. 'We schuiven het lage tafeltje weg en dan hebben we de hele vloer om vol te leggen.'

Sausje! Stel je voor! Hij zegt Sausje tegen Joliens moeder! Ik stik bijna van het lachen. Ik stoot Jolien aan met mijn elleboog en doe met mijn mond Sausje zonder geluid te maken.

Jolien wordt rood tot achter haar oren.

'Hij gebruikt wel meer van die koosnaampjes,' zegt ze met haar hand voor haar mond, zodat ik alleen het hoor. 'Hij noemt haar ook nog Worteltje of Erwtje. En soms ook een heel gek woord: Saffraantje!'

'Wat is dat voor iets?' vraag ik.

'Iets heel duurs. Het is een soort poeder en het maakt je eten geel.'

'Alsof je mama een Chinees is!' Ik val bijna van mijn stoel van het lachen.

'Kom, Bolletje Vanille-ijs,' zeg ik in Joliens oor. 'Beginnen we nu aan de tweede reis van Columbus?'

'Die heb ik al gemaakt, juffrouw Pistache,' fluistert Jolien. 'Nadat ik je bij je opa opgebeld heb, ben ik er meteen aan begonnen.'

Dus doen we reis drie. Maar we gluren de hele tijd naar Joost en Joliens moeder.

Sjonge, wat zien ze er verliefd uit! En maar zoenen en dingen in elkaars oor fluisteren. Als ik Jolien was, werd ik er horendol van.

Terwijl ze plaatsen op de kaart aanwijzen, kietelen ze elkaars handen of verstrengelen ze hun vingers in elkaar en dan beginnen ze te zoenen. Sommige zoenen duren heel lang. Dan rollen Jolien en ik met onze ogen en tellen ondertussen op onze vingers hoe lang het duurt. Eenmaal zoenen ze tot aan zevenenveertig, stel je voor!

Omdat ze maar bezig blijven, doen we ook de vierde reis van Columbus, maar die duurt niet zo lang omdat ze hem moesten onderbreken en Columbus naar huis brengen.

Eindelijk vouwen Joost en Joliens moeder de kaarten weer op. Rein gaat in de keuken met pannen rammelen. Joost neemt een stoel, draait die om en gaat er wijdbeens op zitten. Hij heeft echt oneindig veel sproeten, er is geen tellen aan. Hij spant het elastiekje rond zijn haar aan.

'Weten jullie hoe je een giraf in de ijskast stopt?' vraagt hij.

Ik kijk naar Jolien en pers mijn lippen opeen om niet weer te gaan giechelen. Met saffraan, wil ik zeggen. Maar dat is onzin, natuurlijk.

'Nee,' zegt Jolien.

'Nou, gewoon,' zegt Joost. 'Deurtje open, giraf erin, deurtje toe.'

'Haha,' doen Jolien en ik.

'En weten jullie nu hoe je een olifant in een ijskast stopt?' vervolgt Joost. Weer spant hij het elastiekje rond zijn haar aan.

'Natuurlijk,' zegt Jolien vlug. 'Deurtje open, olifant erin, deurtje toe.'

'Nee, hoor,' zegt Joost ernstig. 'Deurtje open, giraf eruit, olifant erin, deurtje toe!'

En dan vertelt Joost de ene mop na de andere, waardoor ik 's avonds met buikpijn naar huis ga.

17

Als ik thuiskom, moet ik weer aan Esbjerg denken. Papa zit met mama te praten in de keuken. Ze houden meteen op als ik binnenkom. Ik loop rechtstreeks naar mijn kamer en ga op mijn bed liggen. Het enige waar ik aan kan denken, is aan onze reis die niet doorgaat. Dan tikt er iemand op mijn deur.

'Ja,' zeg ik.

Papa komt binnen. Hij gaat op de rand van mijn bed zitten en zegt eerst een hele tijd niets. Ik weet wel waarover we het zullen hebben, maar ik heb geen zin om erover te beginnen.

'Je vindt het heel erg, hè,' zegt hij na een lange stilte. Hij neemt mijn hand vast. Ik had beter mijn handen achter mijn hoofd gevouwen, dan kon hij er niet bij.

'Misschien gaan we volgend jaar wel naar Esbjerg,' zegt hij.

'Pfff,' doe ik. Volgend jaar is gelijk aan nooit. Je kunt net zo goed volgende eeuw zeggen. Ik zal nooit de zoenende zeehonden zien en de grote witte beelden. Ik zal nooit weten of er nu zand of keien op het strand van Esbjerg liggen.

'De dokter heeft gezegd dat mama een hele tijd moet rusten en geen inspannende dingen mag ondernemen,' zegt papa. 'Ze heeft te lange tijd te veel gewerkt en nu zal ze een hele tijd moeten herstellen. Misschien wel maanden. Op reis gaan is voor haar nu te lastig, maar we zullen wel wat uitstapjes maken, jij en ik, als ik vakantie heb. We gaan eens naar de dierentuin, we gaan naar zee, we kunnen een tandem huren voor een dag ... Het wordt echt een leuke vakantie.'

Hoe kan een vakantie nu leuk zijn als je niet eens op reis gaat? Altijd maar weer in hetzelfde huis thuiskomen en in hetzelfde bed slapen. In hetzelfde bed wakker worden en aan dezelfde ontbijttafel zitten. Bah.

'Mama mag wel dingen doen die haar ontspannen en die ze zelf heel leuk vindt, zoals ...'

'Dus met ons drieën op reis gaan,' val ik uit, 'dat vindt ze niet leuk.'

'Toch wel, Oliebol. Toch wel, maar ...'

Ik bedenk opeens dat papa mij ook een koosnaampje geeft dat eetbaar is en ik moet vanbinnen opeens weer een beetje lachen omdat ik aan Joosts gekke woordjes denk. Sausje, stel je voor! Terwijl ik me de naam van dat rare gele goedje probeer te herinneren, kletst papa maar door. Ik hoor hem niet. Het woord 'saffier' zit de hele tijd in mijn hoofd. Ik ben er zeker van dat dat woord bestaat, maar ik twijfel eraan of het wel dat eetbare ding is. Ik hoor papa pas weer als hij het over mij heeft.

'... voor jij geboren was,' zegt papa. 'Toen deed ze dat op elk vrij moment. Het was echt een passie voor mama. Ze was er erg goed in. Ze heeft zelfs eens een prijs gewonnen.'

'Wat?' vraag ik. 'Waar is mama goed in?'

'Boetseren,' zegt papa. 'Zoals ik je net zei.'

Ik denk aan de olifanten met dikke poten die ik zelf altijd maak. Eigenlijk lijken alle dieren die ik van klei maak op olifanten. Zelfs al hebben ze geen slurf.

'Je mama boetseerde vroeger mensen en gezichten van mensen. Je kent toch dat beeld dat op haar werktafel staat? De dokter raadde haar gisteren aan dat weer te gaan doen. Het zal haar helpen om te genezen, zei hij. We zijn na de middag meteen naar een pottenbakker in de buurt gegaan om vijftig kilo klei te kopen.'

Ik haal mijn schouders op.

'We willen toch dat mama beter wordt, Ir?' vraagt papa, en hij geeft een kneepje in mijn hand. 'Dat is toch het belangrijkste op de hele wereld? Veel belangrijker dan op reis gaan?'

Ik knik, maar alleen omdat ik weet dat papa dat van mij wil. Het is alsof iemand binnen in mijn borst schreeuwt: 'En jij dan? Jij bent toch ook belangrijk! Voor jou is naar Esbjerg gaan even belangrijk als het boetseren voor mama! Ja, toch?'

'Mama zegt dat je vanmiddag bij Jolien bent geweest,' zegt papa. 'Was het leuk?'

Ik haal mijn schouders op. Toen ik naar huis ging, zat mijn hoofd propvol moppen die ik wilde navertellen. Nu kan ik mij er geen enkele herinneren. Ik draai mij op mijn zij en zeg: 'Ja, hoor.'

18

Dinsdag verveel ik mij te pletter. Ik ben de hele tijd alleen. Mama komt enkel uit bed om te eten en ik kan niet naar Jolien, want die doet boodschappen met haar moeder. Ze kopen allerlei spullen die ze nodig hebben op reis. Ik wil ook op reis gaan! Om toch maar iets te doen, maak ik wel honderd tekeningen van zoenende zeehonden. Gelukkig wordt het nog een beetje leuk als papa 's avonds thuiskomt. We spelen wat gezelschapsspelletjes en kijken samen tv. Maar in bed denk ik weer aan Esbjerg en moet ik een beetje huilen.

Woensdag rinkelt de telefoon terwijl ik nog in pyjama aan de ontbijttafel zit. Mama is nog niet op.

'Kom je helpen?' klinkt Joliens stem vrolijk in mijn oor.

'Om wat te doen?' vraag ik.

'We brengen vandaag alle spullen naar De Kievit,' zegt Jolien. 'Alle conserven en pakken spaghetti en rijst en tomatensaus en zo.'

'Ah,' doe ik.

'Het is een heel eind, hoor, van ons huis tot aan de steiger,' zegt Jolien. 'En Joost is er vandaag niet, die moet werken.'

'De steiger tegenover de Kolendijk?' vraag ik.

'Ja, waar anders, slimmerik? Kun je komen? Mama is een grote tas aan het vullen voor ons. Dan nemen we elk aan een kant een oor vast. Voor Lem en zichzelf vult ze rugzakken.'

Ik zit aan de keukentafel met de looptelefoon in mijn hand.

De tafel ligt nog vol kruimels van de boterhammen die papa at voor hij naar zijn werk vertrok. Ik schiet enkele kruimels weg tussen mijn duim en wijsvinger.

'Het lijkt wel of jullie een jaar weggaan,' zeg ik zeurderig.

'Gewoon een week,' zegt Jolien. 'Maar we willen alle etenswaren mee hebben. Behalve brood, dat kopen we vers als we ergens onderweg aanleggen. En we nemen ook kleren mee voor alle soorten weer. Van bikini's tot winterjassen.'

'Het lijkt wel een reis van Columbus,' mompel ik. Dat is natuurlijk niet waar. De bikini was toen vast nog niet uitgevonden.

'Wat?' roept Jolien in de hoorn. 'Kun je komen?'

'Wanneer beginnen jullie?'

'Over een halfuur. Tegen de middag willen we alles klaar hebben.'

Ik laat mijn wijsvinger boven een hoopje kruimels zweven. Enkele tellen hollen de gedachten in mijn hoofd heen en weer. Meehelpen om Joliens reis voor te bereiden? Terwijl ik zelf nergens heen kan. Zal ik dan weer de hele tijd aan Esbjerg moeten denken? Het lukt net even om Esbjerg te vergeten. Ik heb de hele ochtend nog maar twee keer aan Esbjerg gedacht. Ik plet de kruimels onder mijn vinger.

'Sorry, maar ik kan nu niet,' zeg ik. 'Ik moet mama helpen.'

'O. Is ze nog niet beter?'

'Nee,' antwoord ik. 'Ze moet gaan boetseren. Daar wordt ze beter van.' Het klinkt gemeen zoals ik het zeg.

'Nu, dan niet,' zegt Jolien. Die merkt gewoon niets op. Die loopt natuurlijk met haar hoofd in de wolken.

'Ik bel zeker nog eens voor we vertrekken,' zegt ze. 'Ten laatste morgenavond. We vertrekken overmorgen voor het licht wordt.'

'Goed. Dag.'

Hier zit ik dan. Met een hele, vervelende, saaie dag voor de boeg. Papa komt na de middag wel thuis, maar wat moet ik de hele tijd doen?

Ik hang een beetje op een stoel, dan weer op de bank, dan weer tegen de deurstijl. Ik wacht tot er iets zal gebeuren, maar er gebeurt toch niets. Het is ongeveer een uur later als mama opstaat.

'Goeiemorgen, Ir,' kirt ze vrolijk. Ze is al aangekleed! Dit is de eerste keer in een week tijd dat mama niet in die flodderige ochtendjas aan de ontbijttafel verschijnt. Ze giet een kommetje cornflakes zo vol, dat het wel de Mount Everest lijkt. Ik word gek van het knisperen tussen haar tanden.

De Mount Everest is in een paar happen een diep dal geworden. Neuriënd ruimt mama de ontbijtboel af.

'Weet je dat ik al van gisteren verlang naar het gevoel van klei aan mijn vingers?'

Moet ik daar iets op antwoorden? Nee, blijkbaar niet, want mama gaat gewoon door.

'Het is waar wat de dokter zei. Je moet steeds tijd en ruimte voor jezelf blijven nemen. Af en toe eens lekker doen waar je zelf zin in hebt. Je leven niet helemaal in beslag laten nemen door je werk en je gezin.'

Ik kijk toe hoe ze uit de onderste la van de keukenkast een versleten schort opdiept. Ze knoopt het ding om, maar de plooien blijven er hardnekkig in staan: een diepe plooi in de lengte en een in de breedte. Mama gaat op kruistocht.

'Heb je zin om toe te kijken?' vraagt ze.

'Nee,' zeg ik. Ik loop naar mijn kamer. Ik lig een beetje op mijn bed en kijk naar het plafond. Er hangt een spinnenweb in de hoek. Er spartelt een vlieg in, maar waar blijft die domme spin toch? Net nu ze een lekkere brok kan eten. Als de spin eindelijk komt aansprinten, maak ik met een lange stok het spinnenweb stuk. Heb ik nu het leven van een vlieg gered? Dan heb ik toch iets uitgericht vanmorgen.

Maar weet je wat er ongelooflijk op mijn zenuwen werkt? Dat ik mama de hele tijd hoor zingen! Tjonge, wat wordt ze vrolijk van die klei!

19

's Middags komt papa thuis in een rothumeur. Er waren allerlei problemen met de patiënten op zijn afdeling.

'Wat is er gebeurd?' vraag ik.

'Je weet dat ik daar niets over kan vertellen, Ir,' zegt hij. 'Dat is beroepsgeheim.'

Hij is zo korzelig en mama zo vrolijk, dat het wel lijkt of ze een toneelstuk spelen.

'Ik heb afgesproken met Jolien,' zeg ik. Dat is niet waar, natuurlijk. We hebben helemaal niets afgesproken. Ik heb gewoon geen zin in hun toneelstuk.

'Hé, ben je daar nu?' zegt Jolien als ze de deur openmaakt. Ze ziet er nerveus uit en kijkt voortdurend naar binnen. Dan trekt ze de deur achter zich op een kier.

'Mag ik niet binnenkomen?' vraag ik.

'Eh, jawel,' aarzelt ze.

Op dat moment buldert Joosts stem door het huis. 'Ik word gek van dat joch!' roept hij. 'Dat ik een week lang met zo'n knulletje op enkele vierkante meters moet leven!'

'Ach,' zegt Jolien terwijl ik mijn oren én ogen opensper.

'Heb je hem nooit geleerd wat normaal is?' gaat Joost door. 'Normale kereltjes spélen in plaats van de hele tijd lijsten met cijfers op te dreunen!'

'Het is Joost,' zegt Jolien verontschuldigend.

'Dat hoor ik,' zeg ik.

Nu verheft ook Rein haar stem. 'Hoor eens, kerel, je hebt het wel over mijn zoon! Wil je zeggen dat hij abnormaal is?'

'Je kunt misschien een andere keer terugkomen,' zegt Jolien snel. 'Ze zijn hier allemaal nogal zenuwachtig.'

'Oké,' zeg ik.

Ik wil nog vragen wanneer Jolien precies vertrekt. Misschien kan ik haar uitwuiven. Maar de deur is al dicht.

Ik loop terug naar huis. Ik ben nog maar pas binnen of papa sleurt me mee naar mama's werkkamer. Zijn boze bui is over.

'Moet je eens zien wat je mama vanmorgen gemaakt heeft!' roept hij uitgelaten.

Ik kijk. Ik denk dat het ding een mens moet voorstellen, maar eigenlijk lijkt het meer op een van mijn olifanten. Of op een schildpad. Maar dan wel een schildpad die op zijn achterpoten loopt. Zijn lijf is breed en zijn hoofd is bijna even breed en er zitten vier stompen aan het lijf. Als ik goed kijk, zie ik twee bultjes op het bovenlijf zitten. Het is dus een vrouwtje. Een rechtoplopend vrouwtjesschildpadmens.

'Wat heeft mama toch ongelooflijk veel talent! Wat een expressie!' tatert papa. Ik kijk op naar zijn gezicht om te zien of hij het meent, maar zijn ogen staan al bijna net zo glazig als die van mama gisteren.

Ik zeg niets. Ik ben niet goed in liegen. Ik loop de woonkamer in. Ik wil ergens heen. Bij een of andere vriendin langs. Ik toets Luna's nummer in. Haar moeder neemt op.

'Luna is er niet. Ze is een hele dag naar Jolien,' zegt ze.

'Wat?'

'Naar Jolien,' herhaalt haar moeder. 'Jolien belde vanochtend om te vragen of ze kon helpen met een of ander klusje en dan kon ze blijven eten en na de middag blijven spelen. Misschien moet je eens naar Jolien bellen?'

'Dag mevrouw,' kan ik nog net stamelen, en dan gooi ik de hoorn neer.

Hoe gemeen van Jolien! Ze liet mij niet binnen omdat Luna er was! En ik dacht nog dat het was omdat Joost en Rein ruzie hadden!

Ik stamp de trap op en keil de deur van mijn kamer achter mij dicht. Ik val op mijn bed en stomp op mijn kussen tot ik lamme armen krijg.

Papa roept mij van beneden, maar ik antwoord niet.

Even later schrik ik mij te pletter omdat hij naast mijn bed staat, maar ik doe alsof ik hem niet zie.

'Is er iets mis, Oliebol van me?' vraagt hij.

'Nee,' zeg ik zo rustig mogelijk. 'Gewoon zin om lui te zijn.'

'Heb je geen zin om een eindje te gaan fietsen?'

'Nee.'

'Mama en ik gaan even fietsen,' zegt papa. 'Niet ver. We blijven niet lang weg. Een halfuurtje of zo. Je redt het wel zolang. Tot straks dan maar?'

Mama fietsen? Ze is al dagen niet meer buiten geweest en nu gaat ze fietsen!

'Tot straks,' mompel ik.

Hoe lang kun je op je bed blijven liggen tot je barst van verveling? Ik weet het niet precies, maar na een halfuur spat ik bijna uiteen.

Ik sta op en ruk de deur van mijn speelgoedkast open. Ik haal er ongeveer alles uit wat erin zit. Maar in barbies met reiskleren heb ik geen zin en in lego waarmee je bergen bouwt ook niet. En nog minder in mijn reddingsboot met allemaal kleine verpleegstertjes en mannetjes met hamers en beitels.

Ik kies een puzzel van duizend stukjes uit. Die van zaterdag ligt er ook nog en is nog niet af, maar ik begin een nieuwe. Met puzzelen kun je gewoon lang bezig zijn. Daarom.

Ik ben zeker al een halfuur bezig en heb al een boel masten en zeilen ineengepuzzeld, als ik opeens doorheb dat ik aan een puzzel met boten bezig ben. BOTEN!

Ik maak alle stukken los en klauw ook de andere puzzel uiteen en werp de stukken op en door elkaar tot ik een hoop van tweeduizend stomme stukjes heb van twee verschillende stomme puzzels waar ik gewoon nooit van mijn leven nog aan werk. NOOIT!

Ondertussen zijn mama en papa al bijna anderhalf uur weg.

20

De volgende ochtend tref ik papa in de keuken. Hij hoeft vandaag niet te werken.

'Ik maak een ontbijt klaar voor mama,' gniffelt hij. 'Een lekker ontbijt met een glaasje versgeperst vruchtensap, een gekookt eitje en geroosterde boterhammetjes met ham en honing. Klinkt dat niet heerlijk, Oliebol?'

'Dat zou ik ook wel lusten,' zeg ik nors.

'Maar natuurlijk! Ik kook ook een eitje voor jou.'

'Maak mijn eitje wel goed hard vanbinnen, hè, pap' waarschuw ik hem. 'Ik hou niet van die gele blubber.'

Papa salueert en trekt een gek gezicht. Zelfs al wil ik het niet echt, toch plooit mijn gezicht zich in een glimlach.

Mama kreunt als we haar slaapkamer binnen komen. De gordijnen zijn nog toe en het ruikt er weer vies.

'Goeiemorgen, lieverd,' toetert papa. 'Ontbijt op bed voor mijn schat!'

'Nee,' steunt mama. 'Niet doen, lieve schatten. Laat mij nog eventjes. Ik ben uitgeput.'

'Moet de inwendige mens niet versterkt worden?' loeit papa.

Mama grijpt naar haar hoofd en trekt het mee onder de lakens.

'Ik ben kapot. Stikkapot,' klinkt het gedempt. 'Nauwelijks geslapen vannacht en nog meer moe dan toen ik gisteren in bed kroop. Laat me alstublieft nog een beetje. Laat me.'

'Nou,' zegt papa beteuterd. 'Wel zonde van dat eitje.'

'Het spijt me, schat …'

We lopen achterwaarts weer naar buiten. Ik omdat ik naar de bult onder de lakens blijf kijken, papa omdat hij zich niet makkelijk kan omdraaien met dat grote dienblad in zijn armen.

Alle vrolijkheid is uit papa verdampt. We zitten tegenover elkaar in de keuken en eten zwijgend. En natuurlijk zit mijn ei vol gele blubber. Ik moet er bijna van kotsen. Ik schuif het vieze snotei naar papa's kant van de tafel.

Ik vertik het om een kommetje cornflakes te vullen. Ik wurm boterham na boterham in mijn mond. Als Jolien belt, ben ik net klaar.

'Kom je vandaag nog eens langs?' vraagt ze. 'Het is de laatste dag voor we vertrekken.'

Ze tatert er maar op los. 'Morgen staan we heel vroeg op,' vertelt ze. 'Joost wil in alle vroegte vertrekken. Hij heeft daarvoor ook een gek spreekwoord bedacht. Helemaal zelf verzonnen. *Een kilo spijkers weegt 's ochtends vroeg maar half zo veel,* zei hij gisteren. We moeten allemaal vroeg gaan slapen vanavond om morgen om zes uur op te staan.'

Ik hou de hoorn een eindje van me af. Joliens poppenstemmetje knettert uit de hoorn.

'Het is zo spannend,' knispert ze. 'Ik knap zowat uit elkaar van spanning. Als je wilt, kun je nog voor de middag komen en hier blijven eten en dan kunnen we na de middag nog een beetje spelen, maar niet te lang, want ik moet om halfvijf nog in bad en we eten vanavond ook vroeg.'

'Hoe was het gisteren met Luna?' vraag ik als ze eindelijk zwijgt.

Ik hoor alleen maar het geruis van haar ademhaling in de telefoon en stel mij voor dat dat het geluid is van haar hersenen die op volle toeren draaien.

'Zie je, Irena,' begint Jolien.

'Ik zie het,' zeg ik, en ik leg de hoorn neer.

Dat heb ik mooi verknald.

Op mijn kamer probeer ik de stukjes van de twee puzzels uit elkaar te zoeken, maar het lukt niet. Ik word er zo woest van, dat ik alle stukken weer door elkaar schop en dan alles met mijn voet onder mijn kleerkast schuif.

21

's Middags is mama nog niet op. Papa en ik zitten tegenover el-kaar aan tafel. Papa probeert vrolijk te doen, maar het lukt niet echt.

'De hamrolletjes zijn heel lekker, hoor,' zeg ik om hem te troosten.

We zijn net klaar met eten als de telefoon weer rinkelt. Ik snel erheen en hoop dat het Jolien is.

'Met Irena,' zing ik in de hoorn.

'Hm,' zegt een mannenstem. 'Ben ik bij Vandermeersch? U spreekt met Ivo van verpleegafdeling negen.'

'Ik geef papa wel door,' zeg ik dof. Ik denk dat ik al weet wat het telefoontje betekent.

Ik loop naar mijn kamer. Na een minuut komt papa op de deur kloppen.

'Ik moet naar het werk,' zegt hij. 'Inspringen voor een zieke collega, een late dienst. Sorry, meid, ik had nog gehoopt om van-middag met jou op stap te gaan, maar nu ben je weer alleen met mama.'

'Geeft niets,' zeg ik zonder opkijken.

'Mama ligt nog in bed …'

Alsof ik dat niet weet.

'… hou het een beetje rustig, wil je, lieverd.'

'Ja, pap.'

'Ik weet dat ik op je kan rekenen.'

Hij strijkt over mijn hoofd. Ik kan mij net inhouden om niet weg te duiken.

Ik lig weer op mijn bed. Alweer. Ik lig en ik lig en ik doe niets, behalve Witje en Ezelpaard weer op de plank zetten. Zo heb ik iets om naar te kijken. Ik leg Poppemies rechterarm om Beer heen en haar linkerarm om Witje. Pluis zit op de rug van Ezelpaard. Maar zelfs de knuffels kijken anders uit hun ogen. De glimlach van Poppemie lijkt opeens niet echt. En het is voor het eerst dat ik Witje lelijk vind met haar ene oog. Of ben ik het die anders is?

In mijn buik ligt een steen. Eerst is het ding maar zo groot als een ei en ligt het tussen mijn navel en de onderkant van dat been in mijn borst. Maar het groeit, zowel naar boven als naar onderen en mijn hele binnenkant wordt van steen.

Opeens hoor ik mama rommelen in haar werkkamer. Ik zwaai mijn benen uit bed, maar mijn lijf lijkt tien keer zo zwaar als anders. Steen weegt veel zwaarder dan mens. Ik loop naar mama's werkkamer. Ze is aangekleed. Aan haar vingers zitten kleine toefjes klei. Ze loopt rondjes om haar schildpadvrouw en duwt hier en daar wat klei tegen het dikke lijf. Als ze mij ziet staan, glimlacht ze.

'Ik voel mij pas weer een beetje mens als ik klei aan mijn vingers heb,' zegt ze.

Ik vouw mijn armen voor mijn borst en knik.

'Als ik met klei werk, ga ik in mijn hoofd op reis.'

Ik zwijg.

'De hele wereld rond,' grinnikt mama. 'Ik ben overal ter wereld en de hele wereld is in mij als ik klei.'

Ik haal diep adem. Mijn mond is droog als ik spreek. 'Je kon je klei meenemen naar Esbjerg,' zeg ik. 'Je kon daar ook boetseren.'

Mama kijkt mij aan en haar ogen worden weer glazig.

'Nee, Irena,' zegt ze.

Ik ga terug naar mijn kamer. Mijn benen lopen omdat ze al zo lang kunnen lopen, maar eigenlijk wil ik ineenzakken waar ik sta. Smelten en alleen een plas op de vloer zijn. Misschien glijdt iemand dan eens uit over mij. Alles beter dan iemand te zijn met wie niemand rekening houdt.

Nog geen halfuur later klopt mama op de deur. Ik lig weer eens op bed te niksen.

'Ik ben zo moe, lieverd,' zegt ze. 'Mijn hoofd zit weer vol watten. Ik ga naar bed. Er is nog brood genoeg en beleg. Je vindt het allemaal wel.'

Ik hoor haar slepende voetstap in de gang. Een zucht. Het klikken van het slot. En even later haar gedempte snikken.

Ik blijf nog een hele tijd liggen. De steen in mij weegt nog zwaarder dan tevoren. Uiteindelijk sleur ik mezelf overeind. Als ik langs de spiegel boven mijn wasbak loop, schrik ik van mijn opeengeklemde kaken en de donkere gaten die mijn ogen zijn. Ik loop naar mama's werkkamer en blijf staan voor haar schildpadvrouw.

'Mama zegt dat ze van jou beter wordt,' sis ik, 'maar het gaat alleen maar slechter.'

Ik neem het stuk ijzerdraad waarmee mama plakken van de klei haalt en snij het hoofd van de schildpadvrouw af. En dan kan ik gewoon niet meer ophouden. Ik snij handen en armen af, de stompjes van de armen, stukken borst en buik … Tot er alleen nog twee benen overeind staan. Dan laat ik het ijzerdraad vallen en grijp eerst het ene been en wring het om en om tot het een lang uitgerekt ding geworden is en dan plak ik het om het andere been heen en dat trek ik uiteen tot kleine klonten klei. Dan zet ik een stap achteruit. Er blijft niets over van mama's werkstuk. Stukken en hompen, niets meer.

Ik hol naar mijn kamer en ga in het midden op de vloer zitten. Ik wil huilen, maar het lukt niet. Daarvoor zit die steen in de weg. Ik zit daar maar en ik wil iets voelen, maar dat lukt niet en ik wil denken, maar dat lukt evenmin.

Dan ruik ik iets. De geur van klei. Er zit nog klei op mijn vingers en onder mijn nagels. Het is alsof ik iemand vermoord heb en het bloed nog aan mijn vingers kleeft.

Ik spring overeind en hou mijn handen onder de waterstraal van mijn wasbak. Maar de restjes klei blijven onder mijn nagels zitten. En mijn neus zit vol van die geur. Ineens besef ik wat ik gedaan heb.

22

Ik smeer mijn laatste boterham met chocopasta. Stel je voor dat mama mij hier betrapt terwijl ik mijn stapeltje boterhammen in een zakje stop. Of terwijl ik mijn rugzak vul met de appel, de banaan, de granenreep, de appelsapjes, de boterhammen en de beurs met al mijn spaargeld! Ach, ik zou wel iets verzinnen. *Jolien vraagt of ik morgen met haar ga picknicken.* Of: *Is het goed als ik een dagje naar opa ga?* Of: *Ik ga op reis naar mijn kamer, voor een hele dag!*

Ik kan best een uitleg geven voor al dat eten in mijn rugzak.

Maar wat kan ik zeggen over mijn portemonnee met spaargeld?

Papa kan nu elk moment thuiskomen. Ik moet mij haasten. Ik heb nog maar net mijn rugzak onder mijn bed gepropt als de sleutel beneden in het slot morrelt. Daar is papa. Ik knip het licht uit, duik in bed en trek de lakens over mijn hoofd. Als papa er maar niet op let dat mijn kleren niet op de stoel hangen en mijn pyjama nog in een bolletje gerold op het matje naast mijn bed ligt.

Een zachte tik op mijn deur. Nu rustig ademen. In en uit. Het moet lijken alsof ik heel diep in slaap ben. De deur gaat open. Papa's schoenen knerpen. Links, rechts, dichterbij. Als hij nu mijn laken maar niet wegtrekt. Dan ziet hij meteen dat ik nog al mijn kleren aanheb. Een hand raakt mijn kruin. Het enige stukje van mij dat niet door het laken bedekt wordt. Niet bewegen nu. Rustig blijven ademen. Wat blijft die hand daar lang liggen. Eindelijk trekt papa hem weer weg. De voetstappen verwijderen zich. De deur gaat dicht.

Minuten gaan voorbij voor ik mij durf te verroeren. Nu moet ik wachten tot papa naar bed gaat.

Het duurt eindeloos lang. Ik blijf op mijn bed liggen, zodat ik vlug onder mijn dekbed kan duiken als ik papa weer op de gang hoor. Ik doezel net wat weg als hij eindelijk de trap weer op komt. Zijn stappen komen niet dichterbij. Hij gaat zijn slaapkamer binnen. De deur gaat dicht. Papa is naar bed. Het is kwart over elf.

Ik wacht nog een hele tijd voor ik uit bed glip. Ik neem mijn rugzak en sluip mijn kamer uit. Beneden in de gang wacht ik weer een hele tijd voor ik mijn schoenen aantrek. Hier en daar kraakt iets in ons huis, maar uit de slaapkamer van mama en papa komt geen enkel geluid meer. Ik duik in mijn jas, rits hem zo stil mogelijk dicht en glip het huis uit.

De lucht is helemaal donker boven mijn hoofd en ik krijg het opeens erg koud.

Onderweg kom ik niemand tegen die ik ken. Ik kom zelfs helemaal niemand tegen, behalve een man met een grote, lichtbruine hond. De hond loopt los aan zijn zij en komt heel even naar mij toe. Hij snuffelt met z'n neus in de richting van mijn rugzak en ik voel koude kriebels in mijn nek. Maar dan roept de man een kort 'Kom, Laika!' en de hond zwaait zijn grote kop van mij weg en draaft terug naar zijn baasje.

Ik loop zo dicht mogelijk langs de huizen, maar als ik de Kolendijk nader, zijn er meer en meer open plekken. Dat heb ik van mijn hele leven nog niet gemerkt. Telkens als ik zo'n open stuk voorbijloop, verwacht ik dat er plots een grote schijnwerper op mij gericht zal worden. Dat ik plots in het felle licht sta en een metalige stem zegt: 'Blijven staan!' Ik zie mezelf al bibberen in het felle licht van de spots. Zoals een konijn dat belicht wordt door de koplampen van een auto.

Maar niemand loopt op dit late uur op de Kolendijk en al helemaal niet op de steiger. Er brandt licht achter de geruite gordijntjes van een van de eerste boten. Op mijn tenen loop ik op de steiger. Deint de boot nu heftiger op en neer? Klotst het water nu harder tegen de romp? Ik haast mij, maar probeer toch supervoorzichtig te zijn. Als ik de verlichte boot voorbij ben, blijf ik plots stokstijf staan.

Wat als dat De Kievit was? Misschien blijft Joost wel aan boord van zijn boot slapen om zijn voorraden te bewaken?

Ik knip de zaklantaarn aan en schijn heel voorzichtig over het uiterste randje van de romp. Ik weet niet precies welk kleur het bootje heeft, maar het is niet blauw.

Ik begin bijna te rennen van opluchting. Met moeite hou ik mijn springerige benen in bedwang terwijl ik verder over de steiger sluip. Het licht van mijn zaklantaarn springt van boot tot boot en beschijnt de fletse kleuren van de rompen. Ze zijn meestal wit of bijna wit of ooit eens wit geweest. Ik laat de zaklantaarn bijna uit mijn handen vallen als het ronde schijnsel opeens op een felblauwe boot valt.

Ik blijf staan en trek mijn rugzakje hoger op mijn rug. Mijn hand beeft terwijl ik de zaklamp langs de zijkant van de boot laat schijnen. *De Kievit.*

Zonder aarzelen stap ik de loopplank op, ga de vier treden af en loop naar de achtersteven. Ik trek de deur van het oliejassenhok open, duik erin en trek het deurtje achter mij toe.

Ik zit op één knie in het hok. Koud plastic valt tegen mijn wang. Ik richt de zaklantaarn omhoog en de gele kleur van oliejassen knalt mij toe. Ze hangen op kapstokken die over een lange stang gehaakt zijn en ik schuif ze allemaal naar één kant zodat ik wat meer ruimte heb. Er hangen ook nog korte oranje jasjes, waarschijnlijk reddingsvestjes. Eronder staan een boel rubberen laarzen in allerlei kleuren en maten. Met mijn voet duw ik de laarzen een stukje opzij om wat meer zitruimte te hebben. Maar er ligt een hoop roestig gereedschap onder, rond een schilferende, metalen emmer.

Stuk voor stuk zet ik de hamers en tangen tegen de wand en maak de emmer leeg, die vol zit met spijkers, schroeven, touw en plakband.

Ik doe alles in de grootste stilte, maar als ik de emmer om-
keer, maakt het hengsel zo'n schor, roestig lawaai, dat mijn hart
in mijn keel bonst. Ik durf de eerste minuten niet te bewegen en
spits mijn oren om elk verdacht geluid meteen op te vangen.
Maar ik hoor niets anders dan het klotsen van water en het
knerpen van touw. Als ik lang genoeg gewacht heb, ga ik op de
omgekeerde emmer zitten. Wat is dat metaal koud! Het dringt
door mijn broek heen en ik word er helemaal kil van. Ondertussen blijf ik luisteren of iemand op mijn geluiden afkomt.

Ik wil niet dat iemand mij hier betrapt. Nu nog niet. Ik moet
zo lang mogelijk verborgen blijven.

Ik knip de zaklantaarn uit. Een hele tijd blijf ik voor mijn
ogen een cirkel in een korrelig blauw zien. Maar het rare is dat
de lucht meteen in stroop lijkt te veranderen. Dikke, zwarte
stroop die ik inadem en die mijn longen verstopt. Eng. Heel
eng.

Ik knip meteen de lantaarn weer aan. Ik hoop maar dat de batterijen het lang uithouden. Ik durf de zaklantaarn niet naar de hoeken te richten, want misschien zitten hier wel dikke spinnen of enge kevers.

Dit is de tweede keer deze week dat ik wakker ben op een heel ongewoon uur. Maar hier in dit hok heb ik niets om mij mee bezig te houden. Ik wou dat ik nu een puzzel had om aan te werken. Had ik nu maar die hoop met tweeduizend puzzelstukjes om uit te zoeken. In slapen heb ik nog helemaal geen zin. Er zijn zoveel spullen die in de weg zitten. Ik kan niet eens mijn benen strekken.

Ik heb alleen mijn gedachten. Ik denk niet dat papa gemerkt heeft dat ik het huis uit ben geslopen. En mama heb ik niet meer gezien sinds het moment dat ze op mijn deur kwam kloppen. Ik denk niet dat ze het al weet. Wat ik gedaan heb. Dat is maar goed ook.

Die vervelende kleigeur zit nog steeds in mijn neus. Er zitten nog enkele restjes onder de nagels van mijn rechterhand. Het lukt maar niet om alles eronderuit te krijgen.

23

Kwart over twee. Het is dus al vrijdagochtend. Ik probeer een beetje te slapen. Ik schuif de emmer dichter naar de wand achter mijn rug en laat mij in de hoek achteroverhangen. Ik knip zelfs de zaklantaarn uit.

Met mijn ogen dicht maak ik mezelf wijs dat ik in mijn eigen kamer ben. Dat Poppemie en Beer en Witje en Pluis op de plank aan mijn rechterkant zitten. Ezelpaard is mijn uitverkoren knuffel voor vannacht. Ik druk mijn rugzak tegen mijn borst en stel mij voor dat het Ezelpaard is.

Maar de geuren kloppen niet. Het donker ruikt naar benzine. Helemaal niet naar die lekkere bloemetjesgeur uit de spuitbus in de badkamer. Mijn rugzak heeft ook niet dezelfde wollige vacht als Ezelpaard, maar is glad en zonder haar en zit vol bulten. Ezelpaard is gevuld met rijstkorreltjes, zodat je lekker in zijn buikje kunt knijpen.

De lucht verandert weer in stroop en verstopt mijn neus en mond. Ik denk dat er nauwelijks twee minuten voorbijgegaan zijn als ik de zaklantaarn weer aanknip. Ik hou het gewoon niet uit zonder licht. Mijn rug begint pijn te doen en ik laat mij een beetje naar beneden zakken op de omgekeerde emmer. Ik knijp mijn ogen dicht en probeer heel hard om te slapen, maar dat felle oranjerood aan de binnenkant van mijn ogen houdt mij wakker. En mijn rugpijn wordt erger. Mijn billen voelen aan als twee ijsklompen.

Omdat het niet lukt om in slaap te vallen, verzin ik biwoorden. Het is een spelletje dat Jolien en ik doen als we ons vervelen. Het wil niet zo goed lukken. Ik vind er maar vijf: baksteennagel, voordeuro, stallemaal, domoorbellen en bomleiding. Jolien zou er vast veel meer kunnen bedenken. In die dingen is ze veel beter dan ik.

Ik besluit een boterham te eten. Misschien word ik wel slaperig als ik wat gegeten heb. Ik maak het koordje van mijn rugzak los en tast naar mijn boterhammen. Ze zitten helemaal onderin.

Maar als ik mijn hand om het boterhamzakje leg, raken mijn vingers iets helemaal anders aan, dat onder in de rugzak zit. Wat is dat?

Mijn hart bonst heftig. Heeft mama iets onder in de rugzak gestopt? Is ze op mijn kamer geweest toen alles uitgestald op mijn bed lag?

Onmogelijk. Ik ben niet van mijn kamer af geweest toen ik mijn geheime voorraad naar boven gebracht had. Of toch … Ik ben eventjes naar de wc geweest.

Er zit alleszins iets in de rugzak dat ik er niet zelf in gestopt heb. Met trillende vingers haal ik alles eruit en leg de spullen op mijn schoot. Dan schijn ik met mijn zaklamp in het donker van mijn rugzak. Daar ligt Pompom.

Ik dacht dat ik Pompom al maanden kwijt was. Mama heeft Pompom voor mij gemaakt toen ik nog klein was. Hij heeft een veel te groot hoofd en knopen als ogen en is helemaal slap, maar ik ben dolblij dat ik hem terug heb. Ik leg hem tegen mijn wang. Hij ruikt zo lekker. Ik weet niet naar wat, maar ik ruik het graag. Heeft Pompom maanden in deze rugzak op mij gewacht?

Ik zie mama voor mijn ogen toen ze Pompom aan mij gaf. Toen had ze nog geen kreukels in haar gezicht en sprak ze niet over watten in haar hoofd. Toen gaf ze mij die knuffel met een vrolijk gezicht en zwierde ze mij in de lucht toen ze zag hoe blij ik ermee was.

Ik moet een beetje huilen. Ik denk dat het nooit meer goed komt met mama.

Mijn boterham krijg ik maar met moeite op. Het is zo moeilijk slikken met een dikke keel.

24

Twintig voor vijf. Ik ben in slaap gevallen door de geur van Pompom in mijn neus. De zaklantaarn is uit mijn hand gegleden zonder dat ik het gemerkt heb.

Ik heb gedroomd dat we op reis gingen en een hoop koffers in en op de auto laadden. Mama en ik konden er nog nauwelijks bij. Papa startte de motor, maar opeens zaten we in een vrachtwagen die met veel lawaai vertrok.

Ik word wakker omdat ik misselijk ben. Het is alsof mijn maag op en neer deint, maar dan merk ik dat ook de vloer onder mijn voeten beweegt. De wand achter mijn rug gaat heen en weer en de hele boot knarst. De vloer lijkt wel van rubber.

Varen we al? Dat kan toch niet? Ik hoor geen stemmen. Ik hoor geen motor brommen. Alleen klotsen de golfjes wat heftiger tegen de wand van de boot.

Dan begrijp ik het. In de verte hoor ik het zachte brommen van een motor. Er is een boot voorbijgevaren! Daarom heb ik gedroomd van een vrachtwagen die veel lawaai maakte. Er was op dat moment echt veel lawaai.

Even krijg ik het gevoel dat ik moet overgeven. Wat wordt dat als we straks écht varen? Het duurt een hele tijd voor mijn maag weer tot rust komt. Ik heb frisse lucht nodig. Ik knip de zaklantaarn uit en duw tegen het deurtje, maar het gaat niet open!

Ik krijg het opeens benauwd en word doodsbang. Met mijn

volle gewicht stoot ik tegen het deurtje. Het geeft mee. Ik tuimel bijna op het dek.

De nacht voelt fris op mijn wangen. Het doet goed. Minutenlang wacht ik of ik een geluid hoor. Misschien zijn er wel mensen die supervroeg vertrekken. Ik probeer niet aan die deinende maag in mijn buik te denken en spits mijn oren. Het klotsen van golfjes. Het knarsen van touw. Geblaf in de verte.

Hoe laat zal Jolien eigenlijk vertrekken? Ik denk niet dat ze mij het precieze uur verteld heeft. Ze heeft alleen gezegd dat het heel vroeg zal zijn.

Mijn maag komt weer tot rust. Ik denk dat ik eerst nog iets eet. Papa zegt altijd dat je maag vol moet zitten als je gaat varen.

Niet aan papa denken nu. Dan gaat mijn keel opzwellen en krijg ik geen boterham meer binnen.

Eerst drink ik een appelsapje. Dat kan nog net door mijn keel glijden. Ik wacht nog even voor ik aan mijn boterhammen begin. Ik had er acht mee. Vier met smeerkaas en vier met chocopasta. Beleg dat niet uit mijn brood kan vallen, maar eraan vast blijft plakken. Ik eet van elke soort één boterham en drink er nog een appelsapje bij. Het zakje ritselt veel te luid als ik de overige boterhammen weer wegstop.

25

Bijna halfzes. Ik verveel mij. Ik denk dat ik nu maar mijn appel eet. Ik knoop mijn rugzakje weer open en haal hem eruit.

Ik heb nooit geweten dat een appel eten zo veel lawaai maakt. Ik denk dat iemand die op dit moment op de steiger langs de boot loopt, zou denken dat er een reuzenrat op De Kievit zit.

Na drie happen hou ik ermee op. Ik stop de appel onder in de rugzak. Zo wordt hij vies, natuurlijk. Met haartjes en kruimels aan. Maar ik durf hem niet verder op te eten.

Dan komt het ergste: ik moet plassen. Ik moet al een hele tijd plassen, maar ik probeer er niet aan te denken. Ik vul mijn hoofd met beelden. Prenten van Columbus en zijn boot uit mijn boek over de ontdekkingsreizen. Plaatjes van Beer, Witje, Pluis, Ezelpaard en Poppemie. En Pompom. Hé, waar is Pompom? Is ze van mijn schoot gegleden toen ik aan het eten was?

Ik schijn met de zaklantaarn in het donker rond mijn voeten. Een eindje voor de punten van mijn schoenen ligt een heel klein plasje vies water. Pompom ligt er middenin. Haar lijfje en haar hele linkerarm zijn nu nat en vies. Ze ziet er zo zielig uit, dat ik bijna weer moet huilen.

Ik ben blij dat ik Pompom terug heb, maar nu voel ik nog meer dat ik dringend moet plassen. Wat moet ik doen?

Ik kan mijn plas in de emmer doen, maar dan ben ik mijn zitplaats kwijt. Maar wat kan ik anders doen? Met mijn billen overboord hangen? Stel je voor dat Jolien precies op dat moment naar de boot komt!

Ik ga rechtop staan en stoot mijn hoofd tegen de bovenkant van de kast. Ik kan net niet helemaal rechtop staan. Ik moet mijn hoofd een beetje naar één kant laten zakken. Bovendien pas ik alleen in de kast als ik mijn armen tegen mijn lijf pers.

Ik krijg een stijve nek en laat mij een beetje door mijn knieën zakken, zodat ik mijn hoofd rechtop kan houden. Mijn knieën drukken tegen de deurtjes van de kast, maar het doet wel deugd voor mijn nek. Met mijn ene hand til ik de emmer op en met de andere keer ik hem om terwijl ik het hengsel vasthoud. Het mag niet weer gaan knarsen!

Met mijn benen opnieuw gestrekt en mijn hoofd in een rare knik, stroop ik mijn broek af. Ik ga op de rand van de emmer zitten. Wat is dat koud!

Het is de bedoeling om heel voorzichtig te plassen, maar ik kan het echt niet meer ophouden. Mijn plas klatert met volle kracht in de emmer. Ik druk mijn handen tegen mijn oren om het zelf niet te horen. Als ik uitgedruppeld ben, blijf ik een hele tijd zitten luisteren. Alles blijft stil.

Ik trek mijn broek op. De emmer met mijn plas schuif ik in de verste hoek. Hij stinkt. Er blijft nauwelijks genoeg plaats over om op de vloer van de kast te zitten. Ik moet mijn knieën heel dicht naar mij toe trekken. Ik hoop dat we vlug vertrekken.

26

Ik word helemaal gek van die stinkende plas vlak bij mijn neus. Ik hou het gewoon niet langer uit. Die plas móét weg! Maar net nu hoor ik stemmen, niet zo veraf. Komt Jolien eraan?

Ik moet even wachten. Maar wat doe ik als Jolien en haar familie zo meteen de boot op stapt, terwijl ik bijna moet kotsen van die plasemmer pal onder mijn neus? Dat hou ik echt geen minuut langer uit. Kan ik nog vlug die emmer leegmaken? De stemmen lijken niet dichterbij te komen. Het wordt zelfs weer even stil. Waren het toch maar voorbijgangers?

Ik ga weer rechtop staan met knieën die helemaal stijf geworden zijn. Ik neem de emmer en duw de deurtjes open. Ik klem de zaklantaarn onder mijn oksel en stap de kast uit.

Ik kijk tegen een boot aan waarvan alle lichten aangeknipt zijn. Ik denk dat er twee boten tussen De Kievit en die verlichte boot liggen. Er is een man op het dek bezig met een hoop touw en er verdwijnt een vrouw in de kajuit met een grote tas bij zich.

Maar er is ook een jongetje dat pal mijn richting uit kijkt.

'Daar is iemand!' gilt het jongetje.

Ik kieper de inhoud van mijn emmer overboord en duik meteen weer in de kast. Mijn hart bonst in mijn keel. Door de bibber in mijn vingers duurt het eindeloos voor ik de deurtjes kan sluiten.

'Hou op met zeuren, Tuur,' hoor ik een barse mannenstem, 'en loop mij niet de hele tijd voor de voeten.'

Het dunne stemmetje van de jongen is vast kilometers ver hoorbaar. 'Daar is een dief!' gilt hij. 'Hij zit op die boot daar en heeft een zaklantaarn bij zich. Hij steelt dingen van die boot.'

'Jij hebt te veel fantasie,' zegt de man.

Het stemmetje van de jongen wordt nog hoger. 'Echt waar, papa!' gilt hij. 'Hij zit daar op die boot. Hij heeft zich verstopt. Je moet gaan kijken. Of de politie bellen.'

Het is even stil voor de man antwoordt. Ik stel mij voor hoe hij over de steiger naar De Kievit loopt. Mijn hart bonst nog harder en ik druk beide handen tegen mijn mond. Het blijft maar duren en bijna hoop ik al dat iemand vlug die deurtjes van mijn kast opentrekt, zodat dit akelige wachten ophoudt.

Maar dan hoor ik de man weer. Veilig ver weg.

'Ik bemoei me niet met andermans zaken, Tuur,' zegt hij. 'Bovendien is daar niets te zien op die boot. En ga nu naar beneden. Je kunt beter mama gaan helpen.'

Het kereltje sputtert nog wat tegen, maar dan hoor ik hem niet meer. Mijn hart komt stilaan tot rust.

Het lijkt eindeloos te duren, maar eindelijk slaat een motor aan. Er komt beweging in de vloer onder mijn voeten. De golfjes klotsen heviger tegen de wand. Opeens slaat er zo'n grote golf tegen De Kievit, dat ik zomaar vanzelf mijn hoofd tussen mijn schouders trek en naar adem hap. Alsof ik verwacht dat het water over mij heen zal slaan.

Als het geronk in de verte verdwijnt, zet ik alles weer wat op zijn plaats. Ik keer de emmer weer om en zak erop neer. Ik zet mijn rugzak tussen mijn voeten. Ik druk Pompom tegen mijn wang. Ik ben blij dat ik niet ontdekt ben en toch had ik even gehoopt dat ik wel ontdekt zou worden.

Het licht van mijn zaklantaarn wordt minder fel. Ik ben bang dat de batterijen bijna op zijn.

Waar blijven ze toch? Ze zouden toch vroeg vertrekken?

Ik druk Pompom met haar droge arm tegen mijn neus en leg mijn hoofd tegen de achterste wand. Ik wou dat ik nog wat kon slapen, maar het lukt niet. Het licht van de zaklantaarn wordt steeds flauwer. Ik knip hem even uit en stop hem onder mijn oksel. Tegen mijn blote vel. Vreselijk, zo'n ijskoud ding onder je trui. Maar ik heb eens gelezen dat het helpt om de batterij beter te laten werken.

Het donker om mij heen is nog steeds eng, maar toch lijkt de lucht minder stroperig. Ik kan beter ademen.

Met de zaklantaarn nog steeds onder mijn oksel friemel ik een boterham en de granenreep uit mijn rugzak. Dorst heb ik ook weer, maar ik durf niet meer te drinken. Dan moet ik ook weer plassen.

27

Ze zijn er! Ben ik dan toch weer even ingedommeld? Opeens hoor ik een barse stem vlakbij.

'Moet je dat nu zien, Rein. Het is al halfacht. Halfacht!'

Eerst denk ik dat het een stem in mijn hoofd is. Er hangt nog een flard droom in mijn hoofd. Ik en mama en papa op reis ergens aan zee. Ik dobber op een luchtmatras op het water en opeens is die stem er. In mijn droom is het de stem van papa. Hij zegt dat we naar het hotel moeten. Het is halfacht, zegt hij. Dan verandert zijn gezicht in dat van Joost en verdwijnt het beeld. Ik zit weer helemaal in het donker.

Er valt een streep licht door de kier tussen de twee deurtjes. Een scherpe, witte lijn loopt schuin over mijn knieën. De zaklantaarn is warm geworden tegen mijn lijf. Hij zit niet meer onder mijn oksel, maar is naar beneden gezakt en ligt dwars op mijn buik.

Ze maken een beetje ruzie, Joost en Rein. Joost is blijkbaar erg kribbig omdat ze veel te laat vertrekken. Het heeft weer iets met Lem te maken en Joost foetert: 'Waarom laat jij die knaap ook altijd maar zijn gang gaan!'

'Lem heeft andere hersenen dan de meeste kinderen,' zegt Rein. 'Hij heeft het nodig om cijfers op te schrijven en te rangschikken. Hij wordt daar rustig van.'

'Hij heeft zeeën van tijd om met zijn cijfergedoe bezig te zijn als we varen,' moppert Joost. 'Jij verwent die knul veel te veel.'

'Je had Lem niet meegekregen voor hij wist van wie die metaalgrijze en rode auto in de straat waren, Joost,' zegt Rein.

'Misschien was dat wel het beste geweest,' gromt Joost tussen zijn tanden.

'Het was gewoon een ongelukkig toeval dat er net twee vreemde wagens in de straat stonden. Lem móét gewoon weten welke auto bij welk huis hoort.'

'In plaats van een uur tegen hem aan te staan praten, neem je hem beter gewoon bij zijn nekvel,' zeg Joost nors.

'Dat helpt niet, Joost. Ik heb het vroeger heus wel geprobeerd. Dan raakt hij helemaal over zijn toeren.'

Joost zegt wel twintig keer dat ze nu veel te laat vertrekken.

'Ik wilde voor zeven uur de haven uit zijn,' zegt hij. 'Nu wordt het zeker halfnegen.'

Dan hoor ik voor het eerst Jolien. 'Weet je wat het omgekeerde is van *Goed begonnen is half gewonnen*?' vraagt ze. Ik moet mijn hand voor mijn mond houden om niet te beginnen lachen. Het is een van onze lievelingsspelletjes. Spreekwoorden omkeren.

'Jolien,' zegt Rein. 'Is dit wel het juiste moment?'

'Dat doen Irena en ik altijd, mam. Weet je het? Weet jij het, Joost?'

'Hm,' bromt Joost. 'Berg nu eerst je rugzak weg. Ik zal er straks eens over nadenken.'

Ik weet het antwoord allang. Het is een van onze favoriete spreekwoorden.

'*Slecht geëindigd is helemaal verloren!*' zegt Jolien triomfantelijk.

'Jolien toch,' zegt Rein.

Even wordt hun gepraat overstemd door allerlei geluiden op en rond de boot. Gebonk, voetstappen, ritselen, geschuif, een hard kloppen.

Opeens bonkt er iets hard tegen de deurtjes van mijn hok en de streep licht verdwijnt van mijn knieën. Ik krijg het meteen weer benauwd. De verse lucht moet mijn schuilplaats binnenkomen door die kier! Ondanks het opwarmen geeft mijn zaklantaarn nog nauwelijks licht als ik hem aanknip. Ik zit gelukkig niet te lang in het donker. Het grote ding wordt weer weggenomen en de lichtlijn legt zich weer op mijn knieën. Gelukkig maar. Ik kan het echt niet lang uithouden in het donker. Ik wil nu ook niet uit mijn kast tevoorschijn moeten komen, net voor we vertrekken.

Ik kan het niet helpen, maar ik moet de hele tijd aan mama en papa denken. Als papa niet moet werken, ligt hij nu nog in bed. Hij slaapt meestal tot een uur of negen op een vrije dag. Mama blijft de laatste tijd 's ochtends heel lang op bed liggen. Maar als ze opstaat, gaat ze waarschijnlijk meteen naar haar werkkamer. Om haar boetseerding te begroeten. Niet aan denken.

De motor slaat aan. Nu is het echt begonnen!

Het geronk klinkt zo dichtbij, dat ik eerst denk dat er iets in mijn hok gebeurt. Wat een beuken en trillen. Het water bruist tegen de boot. Ik moet mijn hoofd tegen de deurtjes leggen om nog iets van de stemmen te verstaan.

Jolien slaakt een indianenkreet. 'We vertrekken!' juicht ze. 'We gaan op reis! Met onze eigen boot!'

'Met de boot van Joost, zul je bedoelen,' zegt Rein.

Joosts stem is hoorbaar in de verte, maar ik begrijp geen woord van wat hij zegt.

'Wat is een sluis, mam?' vraagt Jolien. Ik denk dat ze tegen mijn schuilplaats leunt, want haar stem trilt tegen mijn wang.

'Zo'n ding om van hoog water naar laag water te gaan,' antwoordt Rein. 'Of omgekeerd. De boot vaart in een ruimte tussen twee schotten. Dan stroomt er water in die tussenruimte. Of soms stroomt er water uit. Dan kan de boot verder varen op een ander waterpeil.'

Ik begrijp er niets van.

'Ik begrijp er niets van,' zegt Jolien.

'Dan moet je het Joost maar eens vragen,' zegt Rein. 'Maar niet meteen. Hij heeft het nu te druk met het uitvaren van de haven en dan met dat sluisgedoe op het kanaal. Laat hem eerst maar even met rust. Als we eenmaal op zee zijn, ontspant hij wel. Dan heeft hij alle tijd om die dingen haarfijn uit te leggen.'

Opeens loeit de motor en schiet de vloer omhoog. Ik kantel eerst tegen de wand en dan tegen de deurtjes, maar kan mijn eigen gewicht nog net tegenhouden. Een stuk gereedschap valt met een luide bonk op de vloer bij mijn voeten. Ik schrik zo erg, dat ik Pompom bijna op eet. Minutenlang zit ik te beven met mijn rug tegen de wand gedrukt. Maar blijkbaar heeft niemand het gehoord. Gelukkig maar. Het zou zo stom zijn om nu betrapt te worden. Pas als we op volle zee zijn, kom ik tevoorschijn.

28

Bijna halfnegen. Ik ben blij dat ik het al zo lang volhoud.

Lem is weer met zijn cijfers bezig.

'Heb jij papier, Jolien?' hoor ik hem vragen. 'En iets om mee te schrijven?'

'Hier,' zegt Jolien. 'En denk in het vervolg zelf aan je spullen.'

Ze zitten waarschijnlijk op de bankjes voor mijn schuilplaats. Hun stemmen klinken heel dichtbij. Af en toe schuurt of wrijft er iets langs de deurtjes.

Lem somt onophoudelijk cijfers op. '1, 3, 0, 9, 4, 7,' zegt hij. '7, 9, 4, 3, 5.'

'Je vergeet de letters, sufkop,' zegt Jolien. 'Kun je de naam van die boot lezen?'

'X,' zegt Lem. 'Een x en een p.'

'Explorer,' zegt Jolien.

'Exploor,' zegt Lem.

'Wordt het niet eens tijd dat je leert lezen? Je zit al in het derde leerjaar!'

'Woorden met een x zijn veel te moeilijk.'

'Lees dan die daar,' zegt Jolien.

'W. Een w en een … d.'

'Windhoos, suffie.'

'Mag ik nog een blad, Jolien?' vraagt Lem. 'Daar ligt nog een rij boten. Ik wil alle cijfers opschrijven die erop staan.'

'Je mag nog twee bladen hebben, maar ik wil wel genoeg

overhouden om brieven te schrijven naar mijn vriendinnen.'

'Dan heb je met één blad genoeg. Irena is toch je enige vriendin.'

'En Merel en Luna en Loes en Julie en Margot ...'

'2, 7, 0, 3, 9, 0,' zegt Lem. '2, 9, 1, 1, 9, 5. R, v ...'

'Rover. En hoor je wel wat ik zeg?'

'4, 0, 1, 3 ...'

Ik denk dat Jolien Lem een mep verkoopt. Ik hoor haar hand op zijn wang slaan. Lem geeft een schreeuw en begint te huilen.

'Kinderen!' roept Rein. 'We zijn pas vertrokken en jullie maken alweer ruzie.'

'Hij luistert niet naar wat ik zeg,' roept Jolien. 'Met zijn stomme blaadjes en zijn gekriebel.'

'Ga jij niet ook nog eens op je broertje vitten. Lem is gewoon graag bezig met cijfers en hij wordt er rustig van.'

'Bezeten!' zegt Jolien. 'Hij is gek. Gewoon gek.'

'Hou op, Jolien,' zegt Rein kortaf. 'Hou het alsjeblieft een beetje rustig terwijl ik beneden ben.'

'Ga je nu al eten klaarmaken?' vraagt Jolien.

'Ik wil onze voorraad nog eens nakijken. Dus zit elkaar niet in de haren en loop Joost niet voor de voeten.'

'Dat kan niet, mam,' zegt Jolien. 'Vlak voor zijn voeten staat het roer.'

'Grappig, Jolien.'

Nu is het weer rustig. Af en toe somt Lem een stel cijfers op. Jolien zegt niets. De motor bromt rustig.

Ik ben helemaal niet misselijk nu de boot vaart. Het deint wel een beetje en soms moet ik mij schrap zetten om niet heen en weer te hotsen in mijn hok. Maar ik ben niet zeeziek.

Ik heb wel honger. Maar mijn boterhamzakje openmaken durf ik nu niet. Het zou te veel ritselen. Jolien en Lem zitten veel te dichtbij. Gelukkig moet ik nu niet plassen.

En dan dringt het tot mij door. Mijn plan is gelukt. Ik ben vertrokken. Ik druk Pompom tegen mijn mond en fluister in haar oor: 'We zijn vertrokken, Pompom. Mijn grote avontuur is begonnen. Ik ga naar Esbjerg.'

29

'Reddingsvesten?' vraagt Jolien. 'Waarom?'

Ik denk dat Joost haar iets toeroept, want ik hoor vaag het gebrom van zijn stem boven het motorgeloei uit. Ik denk dat ik net weer een beetje geslapen heb. Twintig over tien. Mijn hoofd voelt suf aan en ik denk aan de watten in mama's hoofd. De Kievit stampt heviger dan tevoren.

'Waarom moeten we reddingsvesten aan?' hoor ik Jolien weer. 'We zijn nog niet eens op zee.'

Joost antwoordt iets onverstaanbaars.

'Nou goed dan,' zegt Jolien. 'Hier in de kast?'

Ze geeft een stevige tik op de deur van mijn schuilplaats.

Ik ben meteen klaarwakker. Jolien zal de kast openmaken! De zwemvesten hangen immers in mijn schuilplaats. Ik heb nog enkele seconden voor Jolien mij hier vindt! De gedachten razen door mijn hoofd. Ik kan niet weg. Er is niets waarachter ik mij kan verstoppen. Zelfs als ik nu vliegensvlug opsta, heeft het geen zin achter de gele oliejassen te staan. Ik denk dat Jolien onmiddellijk mijn schoenen herkent die onder de jassen zouden uitsteken.

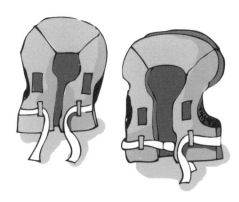

Wat kan ik wél doen? Ik scharrel zo snel mogelijk overeind en ga met mijn gezicht naar de deur gericht op mijn knieën zitten. Ik leg een vinger tegen mijn lippen. Natuurlijk zal Jolien zich verrot schrikken. Zelfs al ben ik geen boef, maar haar beste vriendin, dan nog zal ze gillen van de schrik als ik zo opeens voor haar ogen opdoem waar ze me helemaal niet verwacht. Maar het is het enige dat ik kan doen.

Het licht lijkt wel bliksem als Jolien de deur opentrekt. Ik wil meteen mijn handen voor mijn ogen slaan, maar doe het niet. In plaats daarvan knijp ik mijn ogen dicht en pers een sussend 'Sssst!' tussen mijn lippen door.

Jolien slaakt een gil die door mijn oren snijdt.

'Wat is er?' roept Rein van beneden in de boot.

'Niets doen, niets zeggen,' sis ik, nog steeds knipperend tegen het felle licht. Ik graai met mijn hand tussen de jassen, trek een zwemvest van een haakje en duw het verblind voor mij uit.

'Pak aan,' zeg ik.

Joliens vingers stoten tegen de mijne. Het zwemvest wordt uit mijn handen genomen.

Ondertussen lukt het om mijn ogen op een kiertje te openen. Tussen mijn wimpers door zie ik de omtrek van Jolien, met het zwemvest onder haar ene arm. Rein kan elk moment opduiken. Hopelijk heeft Joost alleen aandacht voor het roer. En Lem? Waar is Lem?

'Doe alsjeblieft vlug de deur toe,' smeek ik. 'En verraad me niet.'

'Wat scheelt er, kind?' vraagt Rein. Haar stem is plots heel dichtbij. Maar tegelijk slaat de deur van de kast met een klap dicht en zit ik weer in het duister. Er dansen sterren voor mijn ogen en ik ben een beetje duizelig. Ik dwing mezelf om naar de stemmen aan de andere kant van de deur te luisteren.

'Een … een muis, denk ik, mam,' stottert Jolien. 'Ik denk dat ik een muis zag in de kast.'

'Muizen, nee toch,' ijst Rein. 'Joost moet er maar meteen jacht op maken, anders doe ik hier vannacht geen oog dicht. Kind toch, je ziet er helemaal witjes van. Je hebt al net zo'n muizen-angst als ik, me dunkt. Doe die deur niet meer open. Ik wil niet dat de muis ontsnapt.'

'De deur zit potdicht, mam,' zegt Jolien. Ik hoor aan haar stem dat ze een beetje over haar schrik heen is. 'Die muis kan er niet uit, zeker weten.'

'Dan ga ik Joost halen,' zegt Rein. 'Blijf jij hier voor de deur waken.'

'Maar, mam!' gilt Jolien. 'Hij gaat heus niet lopen, die muis. Laat Joost eerst maar een eind doorvaren.'

93

'Geen denken aan,' zegt Rein. Haar voeten klepperen haastig over het dek. 'Joost! Joost! Je hebt ongedierte aan boord.'

Ik krijg een naar gevoel in mijn buik. Ze gaat Joost halen. Wat zal die zeggen als hij me hier vindt?

'Wat doe jij hier?' sist Joliens stem opeens tussen de kier van de deur. 'Als je mee wilde, had je het toch gewoon kunnen vragen. Ik denk wel dat Joost ja had gezegd.'

'Ik ... ik moest opeens weg,' fluister ik terug. 'Er is iets gebeurd thuis.'

'Je bent toch niet weggelopen?'

'Ik moet naar Esbjerg, Jolien,' zeg ik.

'Waarom naar Esbjerg?'

'Omdat ...' Ja, waarom eigenlijk? Omdat alles er beter is. Omdat het een plek is waar je dromen waar worden. Omdat daar geen zieke mama is.

'Ik wil en ik moet naar Esbjerg,' zeg ik.

'Maar wij gaan niet naar Esbjerg, stommerd,' roept Jolien uit. 'Wij varen naar Harwich.'

'Maar van Harwich varen er kleine bootjes naar Esbjerg,' zeg ik. Dat heb ik op het internet gezien!

'Je bent gek!' zegt Jolien.

'Ik ben ...'

'Sssst, daar komt mijn moeder weer.'

Reins voeten stampen op het dek.

'Hij wil niet komen, stel je voor,' briest ze. 'Zijn boot is weer belangrijker dan ik. Hij zegt dat hij nu niet van het roer weg kan. "Gooi dan het anker uit en leg de motor stil," heb ik hem gezegd. Maar hij beweert dat dat niet kan omdat we op een drukke vaarroute zitten.'

Ik hoor haar snuiven. 'Hij heeft eens goed gelachen met het idee dat hier een muis zit. "Die muis zit daar goed," zei hij.'

Ik voel mij opeens helemaal slap nu de spanning van mij af valt. Nu hebben ze het over de zwemvesten. Ik luister maar half.

'Ik heb er een, mam,' hoor ik Jolien zeggen. 'Lem kan hem om. Ik doe die kast geen tweede keer open.'

Ik zit een hele tijd met mijn rug tegen de zijwand de lucht uit mijn lijf te blazen. Ik zoek Pompom met mijn ene hand, maar ze glipt tussen mijn slappe vingers door. Dan zit ik een beetje te suffen terwijl de motor bromt en de vloer deint.

Wat zal er nu gebeuren? Komt Joost hier binnen enkele minuten de muis doodmaken?

'We moeten zeker dat tweede zwemvest nog hebben voor we op volle zee komen,' zegt Rein. 'Ik doe er trouwens zelf ook liever een om.'

Ik kan geen kant op. Misschien word ik zo meteen ontdekt. Ik kan beter nog een boterhammetje eten. Dan hou ik misschien even op met denken. Als ik het heel stil doe en mijn zakje niet laat ritselen, kan niemand mij horen. Knabbelen kan ik geruisloos. Als Rein de deur maar niet openmaakt …

30

Tien voor twaalf. De batterij van mijn zaklantaarn is leeg. Gelukkig valt er een streep licht door de kier naar binnen. Een lijntje zuurstof. Zo kan ik het net uithouden.

Ik vraag me af of we nu al op zee zijn. De boot deint wat heftiger. De boterham die ik een tijdje geleden gegeten heb, schuift heen en weer in mijn maag. Ik heb dorst. Ik denk dat ik eerst een appelsapje drink en dan mijn maag volstouw met de laatste drie boterhammen. Kleine beetjes eten, zoals ik telkens doe, is niet zo geschikt tegen zeeziekte.

Heel voorzichtig haal ik het doosje appelsap uit mijn rugzak. Ik maak het rietje los uit het plastic omhulsel, duw het in het doosje en zuig het in één keer leeg. Ik zuig zo heftig, dat het doosje een pruttelend geluid maakt op het moment dat ik het leegzuig.

Onmiddellijk wordt er hard op de deur van mijn hok gebonsd.

'Ik hoor je wel, rotmuis!' roept Rein. 'Ik hoor je geritsel daarbinnen!'

Mijn hart hamert weer in mijn borst.

'Denk maar niet dat je zult ontsnappen,' vervolgt ze. 'Joost slaat je in één keer dood.'

Ik weet wel dat Joost mij niet zal doodslaan, maar toch vraag ik mij af wat hij zal zeggen als hij mij hier vindt. Hij is wel een grappenmaker, maar hij heeft toch ook een paar nare trekjes. Hij doet vervelend tegen Lem en kan heel erg zeuren.

'Wat doe je bij die kast, mam?' vraagt Jolien.

'Ik was net op weg naar boven en ik hoorde die muis gewoon knabbelen!' zegt Rein.

'Je hoeft heus de wacht niet te houden bij die kast,' zegt Jolien.

'Ik mag er niet aan denken dat die muis zou ontsnappen en vrij op de boot rondscharrelt.'

'Als je het echt nodig vindt, blijf ik hier wel een beetje zitten, mam,' zegt Jolien. 'Ik zou toch net een boek lezen. Ik kan net zo goed mijn bankje tegen de kast zetten.'

'Nou, graag, Jolien,' zegt Rein. 'Dat komt mij goed uit. Het is tijd om de groenten schoon te maken.'

Er klinkt een zacht gebonk tegen de deur. Het gewrijf van stof. Ik stel mij voor hoe Jolien het bankje tegen de deur schuift en zich met een boek op schoot tegen de deur nestelt.

'Ben je nog niet gestikt, Irena?' fluistert Jolien na een tijdje.

'Nee, ik leef nog,' zeg ik.

'Hierbuiten is het frisjes. Veel kouder dan het thuis was. Ik heb mijn jas aangedaan.'

'Goed om te weten,' grinnik ik. 'Dan doe ik nog een oliejas uit de kast aan voor ik tevoorschijn kom.'

'Wanneer kom je eruit?'

'Ik wil zo lang mogelijk wachten,' zeg ik. Ik probeer al een hele tijd niet aan mijn dringende plas te denken. 'Zijn we al op zee?'

'Al een hele tijd! We kunnen de kustlijn niet meer zien.'

'Als we straks eten, kan ik je ook een portie brengen,' zegt Jolien. 'Ik vind het wel spannend, hoor, een verstekeling aan boord!'

'Nee, geen eten brengen, Jolien. Ik heb zelf boterhammen bij me.'

Opeens barst Jolien in een lachbui uit. 'Weet je,' snift ze. 'Weet je dat Joost dat hele muizenverhaal maar onzin vindt? "Mijn boot is kraaknet," zei hij. "Geen spinnetje, geen vliegje en zeker geen muisje heb ik aan boord." En toen vertelde hij een mop van een olifant en een muis die gaan zwemmen. Wil je hem horen?'

Ik grinnik. Dit is de gekste situatie waarin iemand mij ooit een mop heeft verteld. Door de deur van een kast heen, terwijl ik een verstekeling ben.

'Het gaat zo,' begint Jolien. 'Een muis en een olifant gaan samen naar het zwembad. "Oei," zegt de olifant. "Ik ben mijn zwembroek vergeten." En dan zegt de muis: "Geen probleem, hoor. Ik heb er twee mee. Je kunt er een van mij lenen."'

Ik lach te veel en te hard.

'Joost is weer in een opperbeste stemming,' zegt Jolien. 'Je zou hem moeten zien staan. Als een echte zeebonk. Hij staat daarboven te wiebelen, met zijn benen een beetje uit elkaar en zijn haar in de wind. Hij moppert zelfs niet op Lem, die de hele tijd vraagt wat al die cijfers op de schermpjes bij het roer zijn.'

Ik zit nog na te lachen van die olifantenmop als Jolien opeens zegt dat ik stil moet zijn.

'Lem komt eraan,' sist ze. 'Ik denk dat Joost toch weer genoeg van hem heeft.'

'Wat zit jij hier zo stom te lachen?' vraagt Lem even later.

'Ik lach niet stom,' zegt Jolien. 'Ik heb gewoon binnenpretjes.'

'Kom je mee kijken?'

'Naar de cijfers van de boten? Nee, hoor,' zegt Jolien. 'Doe jij maar, ik heb daar geen zin in.'

'Er zijn ook dolfijnen,' zegt Lem.

Dolfijnen! Bijna storm ik mijn hok uit. Ik vind dolfijnen supertoffe beesten. En nu zwemmen die zomaar om ons heen!

'Je droomt, Lem,' zegt Jolien. 'Hier zijn geen dolfijnen. Ik heb nog nooit gehoord van dolfijnen in de Noordzee.'

'Maar toch zijn er,' zegt Lem koppig. 'Tobi vertelde het in de klas. Hij was naar Engeland gevaren en had er gezien. En zopas zag ik er zelf een.'

'Tobi heeft te veel fantasie, net als jij.'

'Kom nu kijken …'

'Ik heb geen zin in stomme spelletjes,' zegt Jolien.

'Als je niet meekomt, verklap ik Joost dat Irena daarbinnen zit.'

Ik schiet overeind. De zaklantaarn glijdt van mijn schoot af en bonst tegen de vloer.

'Hoe weet jij …?' vraagt Jolien.

'Kom je nu?' vraagt Lem.

'Nou goed dan,' zegt Jolien.

31

Lem en Jolien zijn nu al een hele tijd boven. Soms hoor ik Lems stem in de verte, maar ik begrijp niet wat hij zegt.

Ik wou dat ik gewoon met hen mee op vakantie was. Dan zat ik nu ook lekker boven op het dek naar dolfijnen te speuren.

'Daar heb je er een!' hoor ik Lem gillen.

Ik moet mij inhouden om in mijn hok te blijven zitten. Het wordt trouwens hoe langer hoe lastiger om hier te blijven zitten. Ik voel mij helemaal stijf en blijf een beetje misselijk. De deining is duidelijk erger geworden.

'Waar?' roept Jolien.

Lems stem weer. 'Daar! Kijk dan! Net voor de boot uit!'

Ik hoor de plons tot in mijn hok. In gedachten zie ik een prachtige dolfijn door de lucht tuimelen, die daarna op zijn rug weer in zee terechtkomt en het water hoog doet opspatten.

Maar dan snerpt Lems gil door mijn dolfijnengedachten heen. 'MAMA!'

Ik verstijf. Er zit iets heel dringends in zijn stem. Dit is niet zomaar een gilletje als zijn zus hem plaagt. Er is iets gebeurd. Maar wat kan er nu fout gaan als ze gewoon naar dolfijnen aan het kijken zijn?

Reins haastige stappen roffelen langs mijn hok.

'Wat?'

'DAAR!' schreeuwt Lem.

Reins schreeuw klinkt zo eng, dat ik Pompom tegen mijn ene oor druk. 'JOLIEN! JOLIEN!' Enkele keren na elkaar. Maar Jolien antwoordt niet. Dan: 'JOOST! Doe toch iets! Jolien kan niet zwemmen!'

Dan pas begrijp ik het. Jolien ligt in het water.

Ze heeft bovendien geen zwemvest aan, want het enige zwemvest dat ze uit de kast haalde, heeft Lem om. En ze kan niet goed zwemmen ...

Weer gilt Lem. 'Ze gaat onder! Ze gaat onder!'

Rein blijft maar om Joost schreeuwen.

In de verte hoor ik Joost vloeken en zelfs de motor lijkt zijn eigen kreten voort te brengen. Eerst klinkt er een heftig geloei dat overgaat in een hoog gesnerp en eindigt met gepruttel. Dan is het even, afgezien van het lichte geklots van golfjes tegen de romp, heel stil. En in die stilte hoor ik het hulpgeroep van Jolien. 'MAMA! MAMA!'

Onmiddellijk gooi ik me tegen de deurtjes aan en tuimel naar buiten. Ik kom op mijn knieën terecht. Verblind door het felle daglicht tast ik om mij heen, vind de leuning van een zitbank en hijs mij omhoog.

Mijn trommelvliezen scheuren bijna door Reins snerpende gil. Door mijn wimpers heen zie ik haar op de trapjes naar het bovendek staan, met uitgestoken armen naar het water. Tegelijk duikt Joost naast haar op. Hij trekt met een snelle beweging zijn schoenen uit en stapt over de reling. Een nieuwe plons in het water.

Ik ruk mijn jas open en worstel mijn armen uit de mouwen.

'Waar? Waar?' roep ik, nog steeds knipperend met mijn ogen terwijl ik naar Rein loop. Ze knijpt hard in mijn arm en duwt mij een eind van zich af.

'Wat doe jij hier?' roept ze. 'Ga weg!'

Ik wil protesteren, maar ik zwijg als ik de blik in haar ogen zie. Ze kijkt mij boos en tegelijk heel bang aan. Ik schuif een eindje van haar vandaan en leun over de reling. Het eerste wat ik zie, is Joosts rode haar en armen vol sproeten. De armen tasten in het water.

'Waar is ze?' roept Joost met overslaande stem. 'Waar is ze, verdomme?'

Rein begint te jammeren. 'Nee, nee ...'

Ik speur het wateroppervlak af. Mijn ogen schieten heen en weer. Er zit zoveel beweging in het water. Kleine golfjes die over elkaar heen buitelen. Luchtbellen die openspatten. Gebruis. Schuim. Maar geen spoor van Jolien.

Joost draait om zijn as terwijl hij wijde bewegingen met zijn armen maakt.

'DAAR!' roep ik. Ik roep al voor ik goed en wel zie wat er eigenlijk is. Een beweging in het water, of wat geborrel, ik weet het niet precies.

Joost kijkt heel kort verbaasd mijn richting uit. Dan werkt

hij zich met enkele krachtige slagen naar de aangewezen plaats en duikt onder. De rimpels in het water worden kringen en er borrelen luchtbellen naar boven, maar dan is er van Joost ook niets meer te zien.

Ik blik naar Rein, die nog steeds halfweg de trapjes naar het bovendek staat. Ze houdt haar neus en mond verstopt achter haar handen. Ik hoor haar zwaar ademen. Ze knippert veel meer dan nodig is en schudt traag, heel traag haar hoofd.

Lem is op een van de trapjes gaan zitten en heeft zijn armen rond haar linkerbeen geslagen. Hij prevelt getallen. Het duurt even voor ik doorheb dat hij de tijd aangeeft die Joost onder water blijft.

'Tien seconden.'

Waarom geeft Rein hem geen draai om zijn oren? Dit is toch te gek. Het maakt de dingen alleen maar erger.

'Vijftien seconden.'

Rein stoot een zachte kreun uit en ik slik. Dit duurt toch veel te lang?

Ik speur het zeeoppervlak af. En opeens zie ik iets heel eigenaardigs. Op een flinke afstand van de boot drijft Pompom in het water. Hoe is dat gebeurd? Heb ik haar van mij af gegooid toen ik uit het hok kwam?

'Twintig seconden,' prevelt Lem.

Precies op dat moment verschijnt het rode haar van Joost weer. Ik vergeet Pompom en slaak een juichkreet. 'Hij heeft haar! Ze is gered!'

Ik wil niet zien hoe slap Jolien in Joosts armen ligt. Ik wil eigenlijk niet toekijken hoe Joost haar hoofd met zijn ene arm boven water houdt en zich met de andere arm naar de boot toe werkt.

'Jolien is gered,' murmel ik voor mij uit. 'Het is oké. Ze is gered. Alles is oké.'

Joost maakt een gebaar naar de achtersteven waar het trapje hangt om aan boord te komen.

'Je moet helpen …' hijgt hij, '… om haar uit het water … te tillen …'

Ik haast mij ernaartoe, maar Rein komt mij achterna en duwt mij opzij.

Joost klemt zich met één arm vast aan de boot en hijst zich omhoog. Als hij Jolien hoog genoeg uit het water tilt, grijpt Rein haar onder de oksels en tilt haar over de reling. Als ze haar op het dek neerlegt, valt haar hoofd met een bons achterover.

Nu pas besef ik hoe ernstig de situatie is. Mijn hele lichaam begint te trillen. Ik wil niet kijken en tegelijk kan ik mijn ogen niet van Jolien afhouden.

Ze ligt uitgestrekt op het dek, haar armen en benen wijd uitgespreid naast zich. Haar gezicht is bleek, haar lippen blauw. Het dek wordt opeens heel groot voor mijn ogen en het lijkt of de witte planken met hun fijne, zwarte lijntjes naar mij toe komen.

Opeens grijpt Joost mij stevig vast. Zijn handen liggen zwaar op mijn armen. Hij duwt mij op de grond tot ik neerzit en drukt dan mijn schouders tegen de vloer. Waarom? Waarom moet ik neerliggen?

Dan voel ik pas hoe ik bibber. Mijn oren suizen. Rein stoot een eindeloze gil uit. Dat zie ik aan haar wijd openstaande mond, maar ik hoor niets behalve een onophoudelijk ruisen in mijn oren. Ik daver over mijn hele lijf en het houdt niet meer op.

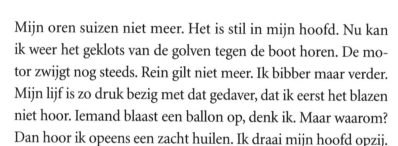

32

Mijn oren suizen niet meer. Het is stil in mijn hoofd. Nu kan ik weer het geklots van de golven tegen de boot horen. De motor zwijgt nog steeds. Rein gilt niet meer. Ik bibber maar verder. Mijn lijf is zo druk bezig met dat gedaver, dat ik eerst het blazen niet hoor. Iemand blaast een ballon op, denk ik. Maar waarom? Dan hoor ik opeens een zacht huilen. Ik draai mijn hoofd opzij.

Joost zit over Jolien heen gebogen en blaast lucht in haar mond. Rein zit naast het slappe lichaam en snikt zachtjes. Lem kijkt op hen beiden neer.

'Je moet een helikopter bellen,' zegt hij. 'Neem je mobiel, mama.'

Joost houdt even op met blazen. 'Hij heeft gelijk,' zegt hij. 'We moeten eerst de hulpdiensten bellen.'

'Welk nummer moet ik bellen?' vraagt Rein met wijd open ogen.

'1,1,2,' zegt Lem.

'Exact,' zegt Joost. '112 is het internationale noodnummer.'

Op dat moment beweegt Jolien haar hoofd en er komt water en braaksel uit haar mond. Nog steeds opent ze haar ogen niet en ze ziet er nog steeds zo vreselijk wit uit. Rein begint weer te jammeren met luide uithalen en laat de mobiel uit haar handen vallen.

'Bel dan toch!' schreeuwt Joost, maar het is Lem die de mobiel opraapt en op de toetsen drukt. Ondertussen draait Joost

Jolien op haar zij en klopt zachtjes tussen haar schouderbladen. Rein legt haar beide handen tegen haar gezicht om haar snikken te smoren.

Lem loopt rondjes om hen heen en babbelt honderduit in de mobiel. Hij stoot Joost aan.

'Ze spreken Engels,' zegt hij. 'Ik versta er niets van. Ik weet niet of ze mij begrijpen.'

Joost richt zich even op en neemt de mobiel over. Hij spreekt korte zinnetjes in het Engels. Zijn Engels lijkt wonderbaarlijk goed op Nederlands en ik weet dat Jolien er heel erg om zou moeten lachen, maar Jolien kan nu niet lachen. Zal ze ooit nog kúnnen lachen?

Joosts ene hand maakt grote gebaren. Naar de zee. Naar de plek waar Jolien waarschijnlijk over de reling gevallen is. Naar het bleke gezicht van Jolien. Alsof de mensen met wie hij het gesprek voert, hem kunnen zien. Dan duwt hij de mobiel weer in Lems handen.

'Ze moeten onze positie weten,' zegt hij. 'Ga naar het bovendek, Lem, en lees de getallen af.'

'Zoals ik deed voor Jolien in het water viel?'

'Eh, ja,' zegt Joost. 'Je weet wel, toen ik je wegstuurde. Je mag alles in het Nederlands zeggen.'

Lem loopt de trap op die naar het bovendek voert en ik hoor hem getallen zeggen en in mijn hoofd worden het nummerplaten met oneindig lange reeksen van cijfers en letters.

Joost komt overeind. Hij schudt kort met zijn hoofd en waterdruppels uit zijn haar vallen op mijn gezicht. Hij verdwijnt uit mijn blikveld. Misschien kan ik mijn hoofd draaien naar de richting waar hij heen liep, maar het lukt mij niet. Ik kan maar één richting uit kijken. Naar de bewegingloze gestalte op het dek. Opeens wordt een deken over mij heen gelegd. Joost verschijnt weer in mijn blikveld en pakt Jolien in met nog een deken.

Na een hele tijd keert Lem terug naar het middendek en neemt een blad dat op een van de zitbanken ligt.

'Twaalf uur veertig,' zegt hij, en hij krabbelt de cijfers op het blad. Dan is het weer stil, eindeloos lang. Rein houdt Joliens hand vast. Joost houdt zijn oor vlak bij Joliens mond en ik kijk naar haar lichaam en zie nu hoe haar borst zachtjes rijst en daalt bij elke ademhaling. Ze beweegt niet, haar ogen zijn gesloten, maar ze ademt weer. Op dat moment voel ik hoe mijn lichaam zwaar wordt. Er vloeit iets warms langs mijn ene dij. Mijn oogleden wegen zwaar en vallen dicht.

Als ik mijn ogen weer open, zitten er een hoop mensen met oranje fluojassen om Jolien heen. Iemand houdt een fles omhoog waaruit een slang naar beneden kronkelt. Een luid gebrom vult de lucht om mij heen en ik speur de lucht af en zie een eind van de boot af een helikopter hangen.

Een aantal mensen in fluo grijpen mij zo onverwachts beet, dat ik wil gillen en tegenspartelen, maar er komt alleen een onbeduidend gekreun uit mijn keel. Ik word opgetild en weggedragen en om mij heen sist de lucht van het woord 'shock' en iedere keer als ik het hoor, maak ik er in mijn hoofd 'chocolade' van.

Het ene moment klotsen de golven nog om mij heen, daarna lijkt het of alles om mij heen beweegt en een razend lawaai maakt. Het gedruis is zo heftig, dat ik mijn ogen sluit en pas veel later weer opendoe, als alles weer rustig geworden is.

Ik lig in een sneeuwwitte kamer met lakens die kraken als ik beweeg. Mama zit naast mijn bed en houdt iets in haar handen. Pas na een hele tijd voel ik dat het mijn hand is. Mijn hoofd is een leeg schoolbord. Daarom begrijp ik niet waarom mama's ogen zo vochtig zijn en ze zo moeilijk kan spreken.

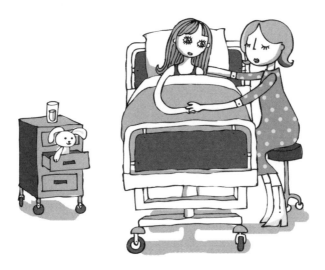

Papa staat achter haar met zijn beide handen op haar schouders en kijkt ook al zo verdrietig.

'Dag Oliebol,' zegt hij met een stem vol tranen.

'Kind,' snikt mama.

'Met mij gaat het beter,' zeg ik, omdat ik vermoed dat dit is wat ik moet zeggen. Alleen begrijp ik niet waarom ze zo verdrietig zijn.

Papa loopt achter mama's rug vandaan en gaat aan de andere kant op mijn bed zitten.

'Je had mij moeten zeggen, Oliebol, wat er zo naar voor je was.'

'Naar?' Ik zoek mijn geheugen af. Waar heeft hij het over?

School, mijn kamer, de vijf knuffels naast mijn bed, Jolien, Columbus. Alles flitst door mijn hoofd. Bij de naam Jolien flikkert er een lampje op in mijn hersenen. Ik zie haar bleke gezicht, haar uitgestrekte armen.

'Jolien?' frons ik.

'Het komt allemaal goed met Jolien,' zegt papa. 'Al is er momenteel nog van alles mis met haar longen. Maar de dokters zeggen dat ze het wel redt.'

Jolien was bijna dood. Dat weet ik weer. Ik kan het beeld van haar bleke gezicht niet uit mijn hoofd wissen. Maar wat doe ík hier in een ziekenhuisbed? Ik durf het niet te vragen. Ik kan mij de veelbetekenende blikken voorstellen die ze elkaar zullen toewerpen als ik daar iets over vraag. Bovendien beginnen flarden van wat er gebeurd is in mijn hoofd op te duiken. Een kleine, donkere ruimte. Licht dat mij verblindt. Beweging om mij heen. Chocolade …

Ik wurm mijn hand los uit mama's greep en kijk naar mijn nagels. Het heeft ook iets te maken met mijn handen, daar ben ik opeens zeker van. Ik bestudeer mijn vingers, de plooien bij mijn kneukels, de schone nagels. En opeens weet ik dat er vuil onder mijn nagels heeft gezeten. Een welbepaald soort vuil. Donkere randjes. Klei.

De schildpadvrouw. In stukken op de vloer. Er trekt een schok door mij heen.

'Mama,' zeg ik, en het woord valt in mijn mond tot losse letters uiteen, maar toch heeft mama mij begrepen. Ze staat op van haar stoel en slaat haar armen om mij heen. Hoewel ik het meteen wat warmer krijg, duikt nu ook een ander gevoel weer op. Een zwaarte in mijn binnenste.

DEEL 2

33

Ik kan niet meer slapen. Alles aan mij tintelt van opwinding. Ik schop mijn dekbed van mij af. Het is niet heet in mijn kamer, maar ik heb het gewoon warm.

De treden van de trap kraken. Dat moet papa zijn. Ik wip meteen uit mijn bed en in de gang kom ik papa tegen.

'Oliebol,' fluistert hij. 'Het is pas tien over zes! Wat doe jij hier zo vroeg? Jullie vertrekken toch pas om tien uur?'

'Ik kan niet meer slapen,' fluister ik terug. We lijken wel inbrekers die overleggen welke kamer ze het eerst zullen leegroven. 'Ik ben al wakker van toen het licht werd.'

'Kom,' zegt papa zacht, en hij trekt mij mee de woonkamer in.

'Je zult mij toch een kaartje sturen,' vervolgt hij met zijn gewone stem.

Nu moet ik toch weer even aan Esbjerg denken. Wat had ik graag een kaartje uit Esbjerg gestuurd!

'Ik zal schrijven,' beloof ik. 'Elke avond. En als we aan wal gaan, zoek ik meteen een brievenbus op.'

'Jullie zijn geluksvogels,' zegt papa. 'Jij kunt lekker met je vriendin mee op reis en mama kan de hele dag rustig van het uitzicht op zee genieten. Zo'n tocht op zee zou ik ook wel eens willen meemaken.'

Ik grijp zijn hand vast. 'Ik vind het zo jammer dat jij niet mee kunt! En het is nog wel grote vakantie! Waarom moet jij altijd invallen als er iemand ziek wordt?'

'Ach ...' knipoogt papa. 'Omdat ik gewoon de beste ben?'

'Ik had zo graag gehad dat je meeging.'

'Als je mij achteraf alles haarfijn vertelt, is het een beetje alsof ik erbij was. En vergeet niet foto's te nemen.'

'Dat is niet hetzelfde,' pruttel ik tegen. Ik zet mijn tanden in mijn onderlip. En mama? Hoe zal het met mama gaan? Nog steeds als ik aan mama denk, voel ik die rare zwaarte in mijn buik. Alsof er een steen in mijn binnenste zit.

'Maak je niet te veel zorgen om mama,' zegt papa alsof hij mijn gedachten raadt. 'Als je een probleem hebt, kun je ook bij Rein en Joost terecht. Jij hoeft heus niet voor mama te zorgen. Mama heeft ondertussen al geleerd wat ze wel en niet mag doen om niet te moe te zijn.'

'Maar ze moet nog altijd zo veel slapen!'

'Ja,' geeft papa toe. 'Ze moet nog veel rusten. Maar ze weet nu ondertussen wel al dat ze niet te lang na elkaar met hetzelfde bezig mag zijn en dat ze zich vooral niet druk mag maken. Ik denk dat jullie best een fijne tijd met elkaar zullen hebben.'

Ik loop van papa weg. Op de tafel in de eetkamer liggen een hoop appels en sinaasappels, die we straks meenemen. Ik neem een sinaasappel en gooi hem in de lucht. Met mijn ene hand graai ik hem weer beet en gooi hem dan weer op. En nog eens en nog eens. Steeds hoger. Tot ik hem zo hoog opgooi, dat hij tegen het plafond botst en in een rare hoek weer naar beneden valt. Papa is mij voor en grist de sinaasappel voor mijn vingers weg. Hij legt hem weer bij de hoop op tafel.

'Kom hier, Oliebol,' zegt hij. 'Dat ik je nog eens knuffel voor je aan je grote zeereis begint.'

'Naar Harwich,' voeg ik eraan toe. Ik weet dat het niet erg

vrolijk klinkt zoals ik het zeg, maar toch ben ik wel blij, hoor. Het is natuurlijk niet zo leuk als naar Esbjerg gaan, maar het is beter dan me hele dagen thuis op mijn kamer te vervelen, met alleen een bezoekje aan opa af en toe.

Joost en Rein hebben beslist om hun reis, die in de paasvakantie zo vlug afgebroken werd, over te doen. En ze hebben ons drieën uitgenodigd om mee te gaan. Stom dat net nu iemand van papa's werk zijn been breekt en papa weer de enige is die zich vrij kan maken om in te springen.

Papa's armen liggen om mij heen. 'Duik de dolfijnen niet achterna als je er een ziet.'

'Papa!' roep ik. 'Dat is echt niet grappig.'

'Ik meen het. Ik hoop dat je dolfijnen ziet. Daar is echt wel kans toe, hoor. Meestal zijn het bruinvissen die in de Noordzee zwemmen.' Hij laat me los. 'Nu moet ik voortmaken, Ir.'

Ik kijk nog toe terwijl papa zijn boterhammen smeert en wuif hem dan uit bij de voordeur. Ik ben nog in mijn nachtpon, maar er is toch nog niemand in de straat wakker om halfzeven.

Ik kruip opnieuw in bed, maar kan niet meer slapen. Een uur later sta ik weer op. Ik dek de tafel, eet vlug mijn cornflakes en sluip terug naar mijn kamer. Ik wil mama nog niet wakker maken. Ik wil dat ze goed uitgeslapen aan onze reis begint.

Ik neem mijn rugzak en prop er de kleren in die mama de vorige avond voor mij klaargelegd heeft. Natuurlijk moet ik weer aan die avond in de paasvakantie denken toen ik vlug mijn spullen in mijn rugzakje gooide om te vertrekken. Even voel ik zelfs diep onder in mijn rugzak of Pompom er niet in zit. Maar Pompom ben ik voorgoed kwijt. Pompom is de enige die echt verdronken is.

Even later hoor ik dat mama uit haar kamer komt. Beneden zit ze met dikke slaapogen aan de ontbijttafel. Maar na een kop koffie lijkt het wel of er verse batterijen in haar gestopt worden.

'Help je mij de ontbijtboel afruimen, Ir?' vraagt ze. 'Dan spoel ik vlug de kommen om.'

'Dat kan papa vanavond toch doen, mam,' zeg ik. 'Dat hoef je nu toch niet te doen.'

Mama kijkt mij even aan. 'Je hebt gelijk, Ir,' zegt ze. 'Het poetsen van het aanrecht en het stofzuigen van de woonkamer kan ik ook wel aan papa overlaten, denk je niet?'

Ik knik.

'Doe ik weer te druk?' vraagt mama.

Ik knik nog een keer en pers mijn tong tussen mijn lippen. Mama loopt langs mij heen en neemt mijn hoofd vast. Ze stempelt een vlugge kus op mijn kruin.

'Sorry, Ir. Ik zal mijn best doen om mijn krachten niet te verspillen aan stomme klusjes. Ik wil een leuke tijd hebben met jou.'

Het is alsof mijn mond in een schommel zit. Mijn glimlach glijdt van links naar rechts over mijn gezicht tot de schommel stilvalt. Ik heb een glimlach als een banaan. Misschien wordt het toch nog leuk.

34

Er zitten weer kreukels in mama's gezicht. Al bijna twee uur fladdert ze door het huis en bestookt mij met vragen.

Mijn vrolijkheid is helemaal over.

'Hebben we shampoo mee?'

'Ja, mam.'

'Zeep?'

'Ja, mam.'

'Oorstokjes?'

'Ja, hoor.'

'Een nagelknippertje?'

'Het is maar voor tien dagen, mam. Zo snel zullen je nagels toch niet groeien!'

'Ik neem er toch eentje mee, Ir. Je kunt best een gescheurde nagel hebben door ergens tegen te lopen en dan komt zo'n knippertje te pas.'

'Joost zal vast wel een schaar aan boord hebben,' zeg ik. Of een tang. Er zit vast wel een tang bij dat gereedschap in zijn oliejassenhok. Daarmee knip je zo je nagel af. Of een hamer en een beitel. Daarmee lukt het ook wel. Of een zaag. Je zaagt gewoon je teen eraf als je geen rotnagelknippertje bij je hebt.

'Zonnecrème? Lippenbalsem?'

Ik zeg niets. Ik loop naar mijn kamer en val op mijn bed. Witje en Pluis kijken op mij neer. Poppemie heeft een stralenkrans rond haar hoofd. Dat komt door de tranen die mijn ogen vullen. Papa zegt wel dat mama ondertussen weet waarvan ze moe wordt. Maar mama weet niets. Helemaal niets. Heel even dacht ik dat het een leuke reis zou worden. Ik heb zin om Poppemie tegen mij aan te drukken en tegelijk wil ik haar door de kamer gooien. Ik doe geen van beide. Ik lig alleen maar.

Als de bel gaat, veeg ik vlug de tranen uit mijn ogen. Ik loop naar beneden om de deur open te maken.

Jolien staat naast Joost te dansen op de stoep.

'Hier is jullie wandelende vervoerbedrijf, dames,' zegt Joost. 'Ik hoop dat jullie klaar zijn.'

'Irena!' gilt Jolien. 'Is het niet verschrikkelijk spannend?'

Joost loopt het huis in en ik ga naast Jolien op straat staan. 'Ben je niet bang dat je weer in het water valt?' vraag ik.

'J… nee,' zegt Jolien. 'Ik doe nu zeker een zwemvest om en ik ga niet meer over de reling hangen.'

'Als het stormt, kun je wel over de reling gezwiept worden,' zeg ik. 'Zonder dat je het wilt.'

'Dan blijf ik wel in de kajuit,' zegt Jolien. 'Met een groot slot op de deur.'

'Misschien waait het slot wel stuk en wappert de hele deur weg. De boot kan helemaal scheef hangen en dan word je toch het water in gekieperd.'

'Dan hou ik mij vast aan de tafel,' houdt Jolien vol.

'Die tafel knapt gewoon af,' zeg ik. Ik kan niet ophouden, ik wil alleen maar nare dingen zeggen.

Jolien kruist haar armen voor haar borst en draait zich van me weg. 'Ik wacht wel even tot je rothumeur over is,' zegt ze.

Ik ga weer naar binnen. Joost loopt langs mij heen met een groot, in plastic gewikkeld pak in zijn armen. Het wandelende vervoerbedrijf ziet er ook al niet meer zo vrolijk uit.

'Ik wil wel even de tasjes van de dames dragen,' knarsetandt hij. 'Maar nu blijkt deze dame nog een gewichtige hobby te hebben. Ze boetseert! Ik mag nog blij zijn dat ze geen beeldhouwster is.'

Als hij langs mij heen gaat, ruik ik weer die geur die zo'n lange tijd aan mijn vingers hing. Klei. Nu neemt mama nog klei mee ook.

Mama komt de trap af in een fleurige kniebroek en met haar tas over een schouder.

'Je vindt het toch niet erg dat ik klei meeneem, Ir?' vraagt ze.

Ik kijk alle kanten op. Naar mijn tenen en de nagels van mijn vingers, maar niet naar mama. Ik haat die klei nog altijd. Als ze niet zo heftig aan het boetseren geweest was, was alle narigheid in de paasvakantie niet gebeurd. Want dan zou ik niet weggelopen zijn en zat ik niet in de kast toen Jolien een zwemvest nodig had.

Mama blijft voor me staan. Ze draagt feloranje sandalen aan haar voeten.

'Ik wéét dat ik niet te lang na elkaar mag boetseren. Een halfuurtje per dag. Meer niet.'

'Doe maar,' brom ik.

Het hele eind naar de Kolendijk loop ik zwijgend naast Jolien. Joost bijt af en toe een lelijk woord stuk tussen zijn tanden als hij het pak klei van schouder verwisselt. Mama heeft het steeds moeilijker om ons tempo bij te houden, zelfs al draagt Joost ook haar tas. Als wij al de loopplank van De Kievit op lopen, stapt ze pas het begin van de steiger op.

'Kan ze niet vlug stappen?' fluistert Jolien mij toe.

'Toch wel,' zeg ik. 'Maar ze heeft alweer te veel uitgericht vanmorgen. Ons hele huis ondersteboven gekeerd om zeker te zijn dat we niets vergeten zijn.'

Ik denk aan papa's woorden. *Ik denk dat jullie best een fijne tijd met elkaar zullen hebben.* Ik hoop het ...

35

Joosts stemming klaart meteen op zodra hij op zijn boot is.

'Iedereen een zwemvest aan!' beveelt hij.

'Maar ik heb al mijn brevetten al gehaald!' protesteer ik.

'Zwemvest aan of terug naar huis.'

'Nou goed dan.'

Ik duik in het vest en maak de sluitingen dicht.

'Welkom aan boord, Cynthia,' begroet Rein mama. Ik kijk om. Ik zie mama's vermoeide glimlach terwijl Rein haar bij de hand neemt en de boot op helpt.

'Ik heb al een strandstoel voor je klaargezet op het bovenste dek,' vervolgt Rein. 'Dan kun je lekker uitrusten van de beslommeringen bij het vertrek.'

'Graag,' knikt mama dankbaar.

'Kom, Irena.' Jolien neemt mij bij de hand. 'Wij gaan onze slaapplaatsen uitzoeken.' Ze neemt mij mee naar de bovenste kajuit. Aan elke wand zitten twee opklapbare bedden vast. Voorin is een minibadkamertje. Mijn slaapzak vult het smalle middenpad. Die heeft Joost al eerder naar de boot gebracht.

'Wij slapen in de bovenste bedden, hè, Irena?' zegt Jolien. 'Dat schommelt zo lekker heen en weer als de boot een beetje deint. Ik heb mijn slaapzak al op het linkerbed gelegd, maar als jij links wilt, verwissel ik het wel.'

'Rechts is goed,' zeg ik. Mijn boosheid sijpelt stilletjes weg. Deze tien dagen samen met Jolien kunnen best leuk worden.

Lem sleurt zijn rugzak de kajuit in en legt hem op een van de bovenbedden.

'Nee, hoor, Lem,' roept Jolien. 'Irena en ik liggen bovenin.'

'Ik mag boven van mama,' zegt Lem.

'Jij mocht al bovenin tijdens de paasvakantie,' zegt Jolien.

'Toen hebben we er niet eens in geslapen!'

'Had je maar in je bed moeten liggen in plaats van rond Joost heen te draaien.'

'Wie ligt nu op bed terwijl het dag is!' snauwt Lem.

Mama, denk ik. Mama ligt op bed als het dag is.

'Mam!' gilt Jolien. 'Lem neemt mijn plaats af. Hij wil bovenin liggen.'

Rein duikt op in de deuropening. 'Ga nu niet weer ruziemaken, jullie beiden,' zegt ze. 'Laat Lem boven slapen, Jolien. Hij is de jongste. En hou het wat rustig of Joost gaat weer vitten.'

Lem laat zijn spullen op het bovenste bed achter en met een brede grijns naar Jolien spurt hij de kajuit uit.

'Altijd hetzelfde,' moppert Jolien. 'Lem krijgt altijd gelijk. En soms lijkt het wel of mama bang is van Joost. Ze heeft alleszins een hekel aan zijn boze buien.'

'Zijn ze dan niet meer zo verliefd?' vraag ik.

'Ze hebben de laatste tijd wel meer ruzie. Joost heeft ook een aantal nare kantjes. Hij is niet altijd de vrolijke grappenmaker. Mama vindt ook dat hij meer van zijn boot houdt dan van haar. Vanochtend was hij weer slechtgehumeurd.'

'Omdat we zo laat vertrokken?' Ik herinner mij Joosts spreekwoord nog. *Een kilo spijkers weegt in de ochtend half zo veel.*

'Nee,' schudt Jolien haar hoofd. 'Omdat Lem weer met zijn cijfers bezig was. Lem wilde pas zijn rugzak pas vullen nadat hij alle nummerplaten van de straat gecontroleerd had. Gelukkig waren er geen onbekende bij. Joost plofte zowat uiteen van ergernis. Ze hebben dikwijls ruzie om Lem. Mama verklapte mij gisteren dat deze reis een laatste test is. Als Joost niet met Lem leert omgaan, maakt ze een eind aan hun relatie.'

'Jeetje,' zeg ik. 'Dan komt er nooit een trouwpartij van.'

'Jij altijd met dat trouwen!' gilt Jolien, en ze grist een kussen van een van de bedden. Het wordt ons eerste kussengevecht aan boord van een boot. We meppen op elkaar tot we allebei een rooie kop hebben. Dan slaat opeens de motor aan.

'We vertrekken!' juicht Jolien. Tegelijk willen we naar buiten rennen en we lopen tegen elkaar aan. Mijn hoofd stoot onzacht tegen de wang van Jolien. Met de handen op onze pijnlijke hoofden lopen we het trapje af naar het middendek.

Ik herken het ronken van de motor en het slaan van de golven tegen de romp van de boot. Ik ga op het middendek tegen de deur van de kast zitten en sla mijn armen rond mijn knieën. De planken zijn warm tegen mijn billen.

Jolien komt naast mij zitten. We zitten daar een hele tijd terwijl de opwinding van ons kussengevecht wegzakt. We zijn als een tweeling met allebei zo'n stom opgeblazen vest aan en een zonnepet op. Maar niet alleen aan de buitenkant lijken we op elkaar. Ik zie aan Joliens gezicht dat ze hetzelfde denkt als ik.

'Het komt allemaal terug, hè,' zegt ze.

Ik knik. 'Het komt allemaal terug.'

Opeens schiet ik weer in een lachbui. Ik stomp Jolien tegen haar arm.

'Wat is het omgekeerde van *Goed begonnen is half gewonnen*?' vraag ik.

Jolien laat haar hoofd achteroverknikken terwijl haar mond openvalt in een lach.

'*Slecht geëindigd is helemaal verloren,*' proesten we tegelijk. En dan keren we het ene spreekwoord na het andere om terwijl de boot het kanaal op draait richting zee.

36

'Kan ik je helpen met het avondeten, Rein?' vraagt mama.

'Er is niet veel te helpen, Cynthia. Ik draai gewoon een blik bonen met gehaktballetjes in tomatensaus open.'

Ik heb mama de hele dag niet meer gezien. Ze lag eerst een tijdje op het bovendek, maar toen het te warm werd, zocht ze een rustplaats beneden in de kajuit.

Ik draai mij van haar weg om de kreukels in haar gezicht niet te zien.

'Ik kan toch wel iets doen, Rein?' vraagt mama weer. 'De tafel dekken?'

'Dat doet Lem zo meteen wel. We hebben een takenlijst gemaakt voor de kinderen wie wanneer de tafel moet dekken en afruimen en helpen bij de afwas. Maar als je echt wilt, mag je morgen de wortelen schillen.'

'Afgesproken,' zegt mama achter mijn rug.

Ik leun tegen de reling. De zee bruist aan de achterkant van de boot. De rechterzijde van de boot heet stuurboord. Dat heeft Joost me verteld. Daar zie ik alleen maar water en water zo ver ik kan kijken. Aan bakboord kan ik ver weg een wit lijntje bespeuren. Dolfijnen heb ik nog niet gezien.

Mama tikt op mijn schouder. 'Zin in een partijtje backgammon?'

'Backgammon?' vraag ik.

'Wat je soms met opa speelt ...'

'Ik ken het spel wel, hoor, maar is dat niet te vermoeiend voor jou?'

Mama slaat haar arm om mij heen. 'Je maakt je te veel zorgen om mij, Ireentje,' zegt ze. 'We zullen het best goed hebben op deze reis.'

Terwijl ik naar de schuimkopjes van de golven kijk, voel ik de steen weer in mijn binnenste. Ik druk mijn tanden in mijn onderlip.

'Kom,' zegt mama. 'Eén spelletje. Daarna ga ik nog wat uitwaaien op het bovendek.'

We leggen de schijfjes op het spelbord. Al vrij snel kan ik moeiteloos drie schijfjes van mama uit het spel spelen. Terwijl mama de dobbelstenen gooit, speur ik haar gezicht af. Krijgt ze nu weer glazige ogen of stel ik het mij maar voor? Haar hersenen moeten toch veel te veel werken voor zo'n spel. Misschien kunnen we beter stoppen.

'Wat zit jij mij zo te begluren?' vraagt mama.

'Ik begluur je niet,' zeg ik. 'Ik kijk gewoon.'

'Je kijkt niet gewoon. Je begluurt mij alsof ik een zeldzame vogelsoort ben.'

Mama schuift haar schijf over het bord. 'Eén, twee, drie. Eén, twee, drie, vier,' telt ze mee.

'Het is vijf,' wijs ik naar de dobbelsteen.

Zwijgend schuift mama haar schijf een hokje verder. Ik vind het nu helemaal niet leuk meer. Straks heeft ze het weer over de watten in haar hoofd.

'Jouw beurt,' zegt mama. Ik gooi de dobbelstenen. Een vier en een vijf. Ik kies een schijf uit waarmee ik mama weer uit het spel speel.

'Je deed tweemaal vier,' zegt mama.

'Helemaal niet,' sputter ik tegen. 'Ik deed eerst vier en dan vijf.' Ik tel terug naar de beginpositie van mijn schijven. Mijn wangen worden rood. Mama heeft gelijk.

'Ik denk dat ik jou maar beter een beetje in het oog hou,' zegt mama. 'Je bent al net zo'n zeldzame vogelsoort als ik.'

Ik voel hoe mijn glimlach scheef op mijn gezicht plakt. We letten nu alle twee goed op en ik probeer mama niet meer aan te staren. Nog tweemaal telt ze de ogen van de dobbelstenen verkeerd op, maar ik zeg niets.

'Jij wint,' gromt mama als ik mijn laatste schijf binnenhaal. 'Maar morgen spelen we opnieuw. Pas maar op, want ik zal wraak nemen.'

'Goed,' zeg ik zonder haar aan te kijken. Ik ben bang dat ik weer een stel nieuwe kreukels zie. Met een zucht klap ik het speelbord toe en stop het samen met de schijven in de doos.

We eten onze warme maaltijd en Jolien moet helpen afwassen. Joost stuurt de boot dichter langs de kustlijn en we vinden een inham met een steiger waar nog enkele boten aangemeerd liggen. Hij springt van boord en maakt het meertouw stevig vast. Lem klautert ook de steiger op met een blad papier en een pen om cijfers en codes op te schrijven.

'Daar gaat hij weer,' hoor ik Joost knarsetanden. Mama ligt

op het bovendek in haar ligstoel met een deken opgetrokken tot aan haar kin. Er staat inderdaad een frisse zeebries. Zelfs als ik een trui aantrek, krijg ik nog kippenvel. Ik zit bij de reling en laat mijn benen overboord bengelen.

'Irena ...' begint mama.

Ik draai mij om. Mama wenkt mij en houdt de deken omhoog. 'Kom je bij me liggen?'

Er is nauwelijks plaats voor twee in de ligstoel. Mama slaakt een gilletje. 'Wat heb jij een koude handen! Goed dat ik je bij me roep, dan kan ik je wat verwarmen.'

Ik lig naast mama en zwijg. Mijn handen krijgen het na een tijdje wel warmer, maar de steen in mijn binnenste blijft koud.

'Weet je nog?' zegt mama na een hele tijd. 'Hoe we vorig jaar tijdens de vakantie in Duitsland een zwembad hadden bij het hotel en we elkaar achternazaten met emmers water? Jij hebt papa een keer nat gesproeid toen hij pas een schoon overhemd aanhad.'

'Hm,' doe ik.

'En die keer dat we op een veldje een heuse voetbalwedstrijd hielden en jij de bal van mij afpakte door aan mijn arm te gaan hangen. Je leek wel een echte voetballer.'

Mama haalt herinnering na herinnering op. Ik kijk naar haar gezicht. Haar ogen glimmen. Ze kikkert helemaal op van die leuke herinneringen.

Ik niet. Ik word er alleen maar somberder van. Het is immers allemaal voorbij.

Jolien klimt de treden naar het bovendek op. Ik glip weg uit de ligstoel. 'Ik ga met Jolien een gezelschapsspel spelen,' zeg ik.

37

Ik word wakker van onweer. Heftige windstoten duwen de boot tegen de steiger. Bij elke bliksemflits zie ik Lem duidelijk in het bed naast mij. Hij heeft zijn duim in zijn mond gestopt en houdt een versleten knuffel tegen zijn borst. Hij keert zich om en om in zijn bed, maar zijn ogen blijven gesloten. Bij een nieuwe, heftige dreun gluur ik over de rand van mijn bed naar Jolien onder mij. Ze ligt met open ogen op haar rug. Ik laat mijn arm naar beneden bungelen en ze grijpt mijn hand en zo liggen we een hele tijd hand in hand naar het onweer te luisteren.

'Eng, hè?' fluistert Jolien.

'Denk je dat we zouden kunnen zinken?' vraag ik.

'Nee, toch,' zegt Jolien. 'We zinken alleen als er een gat in de boot is. Van een onweer wordt de boot niet zomaar lek.'

'Misschien wel door die stoten tegen de steiger.'

'Nee,' zegt Jolien. 'En dan nog. Wij slapen in de bovenste kajuit. Als onze mama's en Joost natte voeten krijgen, beginnen ze wel te gillen en dan springen wij vlug op de steiger.'

Ik moet een beetje lachen, maar hou meteen op bij de volgende krakende donderslag. Het klonk akelig dichtbij. Bliksemflits na bliksemflits wordt bijna ogenblikkelijk gevolgd door een bulderende slag. Opeens klatert de regen op het dak boven ons hoofd. Het is alsof duizend vingers tegelijk op de deur kloppen. Het duurt eindeloos lang voor het onweer wegtrekt. Het tokkelen van de regen houdt op. Jolien houdt nog steeds mijn hand vast. Ik gluur weer over de rand van het bed en zie dat ze in slaap gevallen is. Ik durf mijn hand niet los te maken. Het duurt een hele tijd voor ze loslaat en dan is mijn slaap helemaal over.

Ik laat mij voorzichtig uit het bovenste bed glijden, duik in mijn trui en trippel de kajuit uit. Terwijl ik nog op de bovenste trede van het trapje naar het middendek sta, zie ik een donker silhouet. Mijn hart slaat op hol. Ik wil vlug weer de kajuit binnenglippen, maar de donkere gestalte steekt een arm naar mij uit.

'Irena ...' Mama's stem. Ik wip het trapje af.

Mama's arm maakt een wijde boog, maar ik glip eronderdoor en ga langs haar heen.

'Ik moet plassen,' zeg ik.

Daarvoor moet ik door de kajuit waar Joost stevig ligt te snurken. Ook Rein is diep in slaap. Ik blijf lang op de ongemakkelijke wc-bril zitten, maar toch hangt mama nog steeds over de reling als ik weer op het middendek kom. Ongemakkelijk blijf ik staan. Ik kijk omhoog, maar zie geen sterren. Daarvoor zijn er te veel wolken.

'Moet jij niet vlug weer naar bed?' vraag ik. 'Je wordt veel te moe van het lange opblijven.'

'Ir, hou nu eens op,' zegt mama.

Ik zwijg en zet mijn tanden in mijn onderlip. Dan kijk ik weer omhoog. Er is echt geen enkele ster te zien, hoe lang ik ook naar boven tuur. Zelfs niet de fonkelende Poolster.

'Je hoeft echt niet op mij te passen,' zegt mama ten slotte. 'Dat kan ik heus zelf wel. Dat wil ik trouwens ook zelf. Ik kies zelf wel wanneer ik naar bed ga en of ik 's nachts eens een frisse neus wil halen of niet.'

Ik zeg nog steeds niets.

'Ik weet dat ik gisteren weer een beetje te druk bezig was, toen we onze spullen inpakten. Dat weet ik heus …'

'Waarom doe je het dan?' flap ik eruit. 'Dan moet je weer een hele middag liggen slapen en kun je 's avonds niet eens zo'n stom spel spelen waarbij je gewoon maar de ogen van twee dobbelstenen bij elkaar moet optellen.'

'Waarom ik af en toe eens druk doe?' zegt mama. 'Omdat ik ook nog wel eens een gewoon mens ben. En als ik nu op dit moment wakker ben, is dat gewoon omdat ik gewekt werd door dat onweer en nu niet meer in slaap raak omdat een zekere Joost zijn eigen imitatie van het onweer geeft.'

Mama doet het luidruchtige gesnurk van Joost na. Ik kan het niet helpen, ik schiet in de lach. Ik duik niet weg als mama haar hand op mijn schouder legt.

'Wil je bij ons komen slapen?' vraag ik. 'Wij hebben ook vier slaapplaatsen.'

'Misschien kan ik dat wel beter doen,' zegt mama. 'Ik haal mijn slaapzak.'

Ze glipt de onderste kajuit binnen. Terwijl de deur openstaat, vult Joosts gesnurk de nachtlucht. Afgrijselijk! Hoe slaagt Rein erin om daardoorheen te slapen!

Met een dikke bundel onder haar arm komt mama weer tevoorschijn. We sluipen het trapje op en glippen de bovenste kajuit in. Lems knuffel is uit bed gevallen en ik raap hem op en duw hem weer in Lems handen. Jolien slaapt met open mond. Mama spreidt haar slaapzak uit op de brits naast Jolien.

'Slaapwel, Irena,' fluistert ze.

'Slaapwel, mama.'

Ik lig nog lang wakker. Telkens als ik over de rand van mijn brits gluur, zie ik dat mama's ogen ook nog open zijn. Pas als het donker in de kajuit wat oplicht door het eerste daglicht, val ik in slaap.

Ik heb een heel enge droom. Ik droom van mama, die een afgrijselijk groot gezicht heeft met allemaal diepe scheuren en voren erin en dat gezicht komt steeds dichter naar mij toe. Ik lig in bed en kan mij niet bewegen. Het gezicht wordt groter en groter naarmate het dichter naar mij toe beweegt en de mond gaat open en daar zitten hele scherpe haaientanden in. Ik wil wegduiken van die gapende mond, maar ik kan mij niet bewegen. En tegelijk dondert een luide stem in mijn hoofd die steeds hetzelfde herhaalt: 'Hou nu eens op, Irena. Hou nu eens op.'

Ik zie niets anders meer om mij heen dan dat vreselijke gezicht met die gapende mond en net als de kaken met de haaientanden zich om mij heen sluiten, word ik met een schok wakker.

Joliens gezicht is vlak bij het mijne. 'Wat doet je mama hier?' fluistert ze.

Ik moet enkele tellen nadenken voor ik het mij herinner. 'Slapen,' zeg ik. 'Ze is gevlucht voor een vreselijke zaagmachine.'

38

'Onweer?' vraagt Joost 's morgens. 'Ik heb niets gehoord.'

'Natuurlijk niet,' antwoordt Rein. 'Jouw eigen onweer klinkt veel luider dan donder en bliksem. Ik heb vlakbij enkele donderslagen gehoord, maar ik dacht dat ik me geen zorgen hoefde te maken. Zolang Joost bij het noodweer in bed blijft, zal het wel niet zo'n probleem zijn, dacht ik.'

We zitten met z'n allen aan de ontbijttafel. Joost is zopas de loopplank op komen lopen met een volle boodschappentas. Met opgetrokken wenkbrauwen kijkt hij ons aan. 'Iemand had mij wel mogen wekken,' moppert hij.

'Je kunt het onweer toch niet tegenhouden?' grinnikt Rein.

'Wat zit er in die tas?' vraagt Jolien.

Joost zet de spullen op de ontbijttafel. 'Kijk zelf maar,' zegt hij. Dan richt hij zich weer tot Rein. 'Er kan best iets fout zijn met de boordapparatuur als het onweer echt zo dichtbij kwam.' Hij loopt de kajuit uit.

Jolien tovert melkflessen, eieren en een stuk sterk ruikende kaas uit de tas tevoorschijn. 'Bwèèk,' doet ze. 'Wat een stinkkaas.'

'Weer die boot van hem,' zegt Rein. 'Hij is niet bezorgd om ons, hoor. Hij maakt zich gewoon zorgen over apparaatjes die misschien niet meer werken.'

'Als er geen stroom meer is,' zegt mama, 'kan Irena dat probleem wel oplossen. Daar heb je alleen een fiets en een verlengkabel voor nodig.'

Ik vergeet te kauwen op mijn boterham. Het bloed stijgt naar mijn wangen.

Mama vertelt hoe opa mij op 1 april beetnam. Iedereen giert het uit, terwijl ik bijna onder de tafel kruip van schaamte. Jolien ligt in een deuk van het lachen. Mama's ogen tintelen en nu pas merk ik dat ze geen kreukels in haar gezicht heeft.

Joost komt weer binnen en we zien meteen aan zijn opgeluchte gezicht dat alles in orde is.

'Jouw beurt om af te ruimen, Irena,' zegt Rein. Iedereen behalve Rein en ik vlucht weg uit de kajuit. Als ik klaar ben, ga ik naar het bovendek, waar Jolien op mij wacht.

'Waarom vertrekken we nog niet?' vraag ik.

'Ha!' zegt Joost. 'Ik heb nog een verrassing voor jullie.'

'Jippie!' juicht Jolien.

'Maar eerst,' zegt Joost, 'wil ik van jullie horen wat jullie ruiken.'

Jolien loopt snuffelend op het bovendek heen en weer. 'Olie, benzine, de motor?'

'Wat denk jij, Lem?'

Lem haalt zijn schouders op.

'Jij, Irena?'

'Hetzelfde als Jolien,' zeg ik. 'Ik ruik de boot. En ook iets dat op verf lijkt.'

'Kom mee,' zegt Joost. 'Jullie merken het onderweg wel.'

Als we naar het middendek afdalen, leunt Joost voorover in het trapgat dat naar de laagste kajuit leidt. 'Ik laat de kinderen even een verrassing zien,' zegt hij. 'Maar als een van de dames mee wil …'

'Zin om mee te gaan, Cynthia?' vraagt Rein. 'Ik blijf wel om op de boot te passen.'

'Nee,' hoor ik mama. 'Nu niet. Ik heb zin om wat met mijn klei aan de gang te gaan.'

Het haar in mijn nek gaat meteen overeind staan. Mama gaat weer kleien! Dan is ze straks weer doodop!

'Niet lang, hoor,' zegt mama tegen Rein, maar ik weet dat haar woorden voor mij bedoeld zijn. 'Een halfuurtje of zo. Ik moet jou vanmiddag ook helpen met de wortelen.'

Ik sleep mezelf van de loopplank met een steen in mijn binnenste die zwaarder weegt dan ooit tevoren.

We volgen Joost over het asfaltweggetje dat aan de steiger vertrekt. Het weggetje loopt eerst een eind omhoog, zodat we puffend boven op een kleine heuvel aankomen. Vanaf dit punt zien we verschillende boerderijtjes verspreid in het groene landschap liggen. Op bijna al dat groen grazen schapen.

'Ik ruik die stinkkaas weer,' zegt Jolien.

'Precies,' zegt Joost. 'Dat was het.'

'De geur van stinkkaas!' zegt Jolien.

'Dat was geitenkaas, meid,' zegt Joost. 'Het ruikt hier naar geiten. Een bok kun je soms al van mijlenver ruiken. Achter de eerste boerderij daar links ligt een perk met geiten. De boer heeft een verrassing voor jullie.'

'Wat voor verrassing?' Jolien gaat aan Joosts arm hangen. 'Zeggen. Je moet het zeggen.'

'Jullie zien het wel,' zegt Joost, en hij beent met Jolien aan zijn arm stevig door. Lem haalt zijn blad papier uit zijn zak en bijt op het uiteinde van zijn potloodje. Hier zijn geen nummerplaten om over te schrijven, maar misschien telt hij wel de schapen in de weide. Als Joost maar niet weer vervelend gaat doen …

39

Ik sukkel in mijn eentje achter Joost en Jolien aan. Het is lastig lopen met een steen in je buik. De lucht is grijs en een eind voor ons uit lijkt het wel of de wolken de weilanden raken. Het is niet echt koud, maar een fris zeebriesje jaagt af en toe kippenvel over mijn armen heen.

Als we het erf van de boerderij op lopen, komt een zwartwit gevlekte hond blaffend op ons af. Joost steekt zijn hand uit en laat de hond aan hem ruiken.

'Hé, kereltje,' zegt hij. 'Je kent mij toch. Ik was hier zopas nog om kaas en melk te kopen.'

Bruinrode kippen laten een verontwaardigd TOK, TOK horen terwijl ze het erf kruisen. We wagen het niet om verder te gaan met die hond die naar ons staat te loeren. Ik gluur vlug om mij heen. De gebouwtjes aan beide zijden van het erf storten bijna in. Overal zitten gaten in de muren van donkerrode baksteen. Een deur hangt half uit zijn hengsels.

'Ken je die mop van de duif en de koe?' vraagt Joost.

'Nee,' grinniken wij.

'Een duif vliegt boven een wei waarin een koe staat. "Roekoe!" roept de duif. Waarop de koe naar boven kijkt en loeit: "Roeduif!"'

Het helpt om even niet naar de tanden van de hond te kijken.

Eindelijk komt de boer tevoorschijn uit een open deuropening. Hij veegt zijn handen af aan zijn overall. Ik zie dat hij Joost herkent. Hij spreekt hem aan in onbegrijpelijk Engels, maar het Engels van Joost begrijp ik dan weer wel.

'Weer aar de geitjes?' vraagt Joost.

De boer wenkt ons het gebouw in waar hij net uit opdook. 'This way,' zegt hij.

Het stinkt verschrikkelijk in het gebouw. Het ruikt alsof de hele ruimte gevuld is met geitenkaas. Stro knerpt onder mijn voeten. Als mijn ogen aan het duister binnenin wennen, zie ik eerst alleen maar een soort kooien met brede ijzeren stangen tussen. Pas na een tijd merk ik het kleine, witbruine lijfje op dat op dunne pootjes staat te trillen.

'Een jong geitje,' wijst Joost. 'Vijf dagen oud. Kijk maar, het heeft nog zijn navelstrengetje.'

Er hangt inderdaad een dunne, verdroogde streng aan het achterlijf van het kleine geitje.

'Mogen we het aaien?' vraagt Jolien.

'Meer nog,' zegt Joost. 'Jullie mogen het voeden. Het heeft geen moeder meer en het wordt gevoed met de zuigfles.'

'O!' doen Jolien en ik tegelijk. Het ziet er zo'n schattig diertje uit. Zijn oortjes hangen plat langs zijn kop en het stoot opeens een heel ijl gemekker uit.

'Kom maar, toe,' zeg ik zachtjes. 'Kom, je krijgt straks melk van mij.'

Ik steek mijn hand uit naar het jonge diertje. Het legt zijn lippen om mijn vinger. Ik trek vlug mijn vinger terug en het geitje deinst achteruit door mijn snelle beweging. Jolien stapt op het diertje af en neemt het met beide handen vast voor ze het over zijn flanken aait.

'Kijk hier,' zegt Joost.

Ik keer mij om. De boer houdt een halfvolle zuigfles in zijn hand en maakt een beweging met zijn hoofd.

'Neem maar aan,' zegt Joost. Jolien is mij voor. Ze neemt de zuigfles aan en knielt in het stro. Ze trekt het geitje op haar schoot en duwt de speen tussen zijn lippen. Het zuigt gretig. Ondertussen kriebel ik met mijn vingers door de zachte haartjes van zijn vacht.

'Ik wil ook nog wat melk geven,' zeg ik.

'Wacht even,' zegt Jolien. 'Het is net zo goed aan het drinken.'

'Toe,' dring ik aan.

'Wacht!'

Uiteindelijk is de fles bijna leeg als ik het van Jolien mag overnemen. Ik druk het geitje tegen mij aan terwijl het zuigt. Ik kan bijna voelen hoe de melk door de lange hals van het geitje stroomt tot in zijn buikje. Mijn handen strijken onophoudelijk over de korte haartjes van de vacht.

'Kunnen we hier niet blijven, Joost?' vraagt Jolien. 'Dan kunnen we het geitje voederen tot het groot genoeg is om gras te eten.'

'We gaan toch naar Harwich, meid,' grinnikt Joost. 'We hebben niet het kanaal overgestoken om bij de eerste de beste boer te kamperen!'

Het lijkt of de boer ons begrijpt, want hij knikt ons samenzweerderig toe.

'Er zijn nog kleine geitjes in de wei,' zegt Joost. Dat zegt hij natuurlijk om ons af te leiden. Maar we weten ook wel dat het niet anders kan.

Jolien en ik aaien het beestje nog eens van top tot teen en volgen dan Joost en de boer naar de weide. Er zijn nog drie jonge geitjes, waarvan eentje dat ook nog zijn navelstreng heeft.

'Wat zielig toch dat ons geitje geen mama meer heeft,' zegt Jolien. 'Hoe komt het dat de mama gestorven is?'

Joost richt zich tot de boer. 'Hou kom de mammie von de geitje daai?' vraagt hij. Ik wist niet dat Engels praten zo gemakkelijk was.

De boer stopt zijn handen in zijn zakken, trekt zijn schouders op en vertelt ondertussen zijn verhaal.

'De mama sukkelde al een hele tijd met gezondheidsproblemen,' vertaalt Joost. 'De bevalling duurde ook nog eens heel lang en de mamageit is uitgeput geraakt. Ze had veel bloed verloren en is een paar uur na de geboorte gestorven.'

Waarom moet ik nu opeens aan mama denken? Mama is toch geen geit! Terwijl ik naar de huppelende geitjes kijk, zie ik mama's kreukelige gezicht weer voor mijn ogen. Ik schud mijn hoofd om het beeld kwijt te raken.

'Jullie mogen even in de wei,' zegt Joost. 'Maar deze geitjes zijn niet gewoon om door mensenhanden aangeraakt te worden. Ze zullen zich waarschijnlijk niet laten aaien.'

De boer maakt het hek open en wij lopen voorzichtig de weide op. Alleen een grote witte geit komt nieuwsgierig op ons af. De kleine geitjes gaan er met hun mekkerende moeders vandoor. Voorzichtig zetten we de achtervolging in, maar het lukt ons niet een van de jonge geitjes te aaien.

Net voor we de wei uit gaan, trapt Jolien in een hoop geitenkeutels. Ze veegt haar schoen zo goed mogelijk schoon aan een pol gras.

'Bedank de boer maar,' zegt Joost. 'We gaan nu terug.'

'Hé,' zegt Jolien. 'Waar is Lem eigenlijk?'

40

We zoeken het hele erf af, terwijl de boer zijn hond vastlegt en in de stallen gaat kijken. Joosts gezicht wordt steeds roder.

'Waar is die knul nu weer heen?' knarsetandt hij. 'Hij is toch niet in zijn eentje de hele weg af gelopen …'

De boer sloft van deur tot deur en kijkt in alle gebouwen binnen. 'Quiet, Josh,' maant hij ondertussen zijn blaffende hond. 'Quiet.'

Net als we toch maar besluiten om terug te lopen, komt de boerin om de hoek van de stallingen met haar hand op Lems schouder. Lems ogen stralen. Hij wappert met zijn notitieblaadjes.

'Ik heb de hele autoverzameling van de boer gezien,' begint hij. 'Ik zag een paar modellen voor het raam staan. En toen wenkte de boerin mij en …'

'Kom mee,' zegt Joost kortaf. 'We zoeken ons hier een ongeluk naar jou. We moeten terug. Ik had nog een eind willen varen voor het middageten.'

Hij drukt de boer de hand en Jolien en ik mompelen 'Dank joe' en wuiven naar de boerin.

Op de weg terug naar de boot beent Joost met grote stappen voorop. Met ons drieën komen we een eindje achter hem aan.

'Wat deed je daar nou met die auto's?' vraagt Jolien.

'Ik ging dichterbij kijken toen ik ze daar voor het raam zag staan,' vertelt Lem.

'Welk raam?' vraagt Jolien. 'Die oude stallen hebben niet eens ramen.'

'Het huis waar de boer woont, links van de stallen,' legt Lem uit. 'Dat is een gewoon huis. Met ramen en planten ervoor. En ook een aantal auto's op de vensterbank. Maar binnen hadden ze er nog veel meer.'

'En jij mocht van de boerin mee naar binnen?'

'Ze zag mij staan en wenkte mij naar binnen en toen kon

135

ik die auto's van dichtbij bekijken.' Lems stem klinkt wat hoger. 'Ze hadden echt alles zoals grote auto's: koplampjes, bumpers, ruitenwissers en raampjes van doorzichtig plastiek. En ze hadden echte nummerplaatjes.'

'Zeg nu niet dat je al die nummerplaten opgeschreven hebt,' grinnikt Jolien.

'Natuurlijk wel,' zegt Lem. 'En die boerin zei me welk model het was. Ik denk dat ik alles begrepen heb wat ze zei. Er waren oude modellen bij die ik niet herkende. Ik heb alles opgeschreven: model, kleur, nummerplaten.'

'Ik denk dat jij droomt van nummerplaten,' zegt Jolien.

'Soms,' zegt Lem.

Jolien stoot mij aan. 'Onze mama's zullen nogal opkijken als we vertellen dat we een zuigfles gegeven hebben aan dat kleine geitje.'

'Zo waren we zelf een beetje mama,' voeg ik eraan toe. 'Het leek een beetje alsof we een baby hadden.'

'Baby's zijn leuk,' zegt Jolien. 'Mijn tante heeft niet zo lang geleden een baby gekregen en ik mocht hem even vasthouden.'

'En mocht je hem de fles geven?' vraag ik.

'Nee,' zegt Jolien. 'Hij krijgt borstvoeding. Dat geitje was de eerste baby die ik de fles gaf.'

'Blijf niet achterop!' roept Joost ons toe. 'We hebben haast!'

We sluiten dichter bij Joost aan. Als we de boot naderen, kijk ik uit naar mama. Rein komt uit de kajuit tevoorschijn met een geknoopte handdoek waarmee ze begint te zwieren. Ze wuift naar ons. Jolien wuift terug. Ik niet.

Joosts mopperstemming waait over als hij weer over de loopplank loopt. 'Ik ruik een heerlijk middagmaal,' zegt hij terwijl hij een arm om Reins middel legt. 'Pasta met tomaten, paprika's en courgettes. Een wortelsoepje vooraf en een heerlijke ijscoupe als dessert. Ik ruik de karamelsaus al.'

'Mama!' roept Jolien. 'We hebben iets heel leuks gedaan.'

Rein zoent Joost op zijn wang. 'Alleen wat die wortelsoep betreft, heb je gelijk,' lacht ze. 'De pasta is voor vanavond. We hadden al werk genoeg met al die wortels en een slaatje. Voor de dames is het ook vakantie.'

'Mama, moet je horen …' dringt Jolien aan.

'Ik wil anders ook best eens koken,' biedt Joost aan.

'Nee, alsjeblieft,' zegt Rein. 'In puree uit een pak en groenten uit blik heb ik nu echt geen zin.'

'Luister nou, mama,' zegt Jolien.

Ik luister alleszins niet. Ik hang wat rond op het middendek. Mama is niet in de kajuit bij Rein en niet op het bovendek. Dat kan maar één ding betekenen.

Met trage stappen ga ik het trapje op naar het bovendek. Lem zit er met zijn papieren rond hem uitgespreid. Door het cirkelvormige raampje van de kajuitdeur kan ik alleen mama's been zien. Het hangt wat van het bed af.

Ik ga naast Lem zitten.

'Wil je weten wat voor auto's de boer had?' vraagt Lem.

'Nee,' zeg ik.

Lem zwijgt enkele tellen.

'Is je mama er niet?' vraagt hij dan.

'Natuurlijk wel,' zeg ik. 'Ze is niet naar huis gezwommen.'

'Slaapt ze weer?' vraagt Lem.

'Wat bedoel je?'

'Ze moet heel veel slapen, die mama van je.'

'Nou en?'

'Ik zou dat niet leuk vinden,' zegt Lem.

'Als het moet, dan moet het,' zeg ik korzelig.

'Ik wist wel dat je het ook vervelend vindt.'

'Dat zeg ik toch niet.'

'Nee.'

'Welke auto's had de boer dan?' vraag ik.

'Chrysler, Opel, Renault, Honda, Volkswagen ...'

Ik luister niet meer. Achter mijn rug hoor ik Jolien uitgelaten tateren. Ik probeer weer naar Lems gekwebbel te luisteren, maar alle namen vloeien in elkaar over.

'O ja?' doe ik, en 'O!' en 'Wauw!' Tot Rein ons roept om te komen eten.

'Zal ik mama wekken?' vraag ik.

'Laat haar nog maar even rusten,' zegt Rein. 'Ik zag dat ze weer aan rust toe was na dat kleien en het klaarmaken van de wortels.'

We zijn zowat halfweg de soep als ik het deurtje van de kajuit hoor knarsen. Mama trippelt het trapje af.

'Dag schone slaapster!' buldert Joost. 'Mooie dromen gehad?'

'Jawel,' zegt mama zacht.

Ze schuift op de lege plek naast mij. Ik durf niet naar haar gezicht te kijken. Rein staat op en schept een grote lepel soep uit de kom. Als mama haar bord ophoudt, zie ik de afdruk van een plooi in het laken op haar voorarm, vanaf haar pink tot haar elleboog. Ik schraap eindeloos lang met mijn lepel over mijn lege bord.

Mama stoot mij aan. 'Leuke voormiddag gehad?' vraagt ze.

'We gingen naar een boerderij met een jong geitje,' roept Jolien. 'We mochten het de papfles geven.'

'Dat vond jij waarschijnlijk super!' buigt mama zich naar mij. 'Jij bent toch altijd dol op kleine geitjes? En nu mocht je er eentje eten geven!'

'En jij?' vraag ik zonder opkijken. 'Had jij een leuke voormiddag?'

Mama blaast haar adem zachtjes over de hete soep. 'Ja,' zegt ze ten slotte. 'Het was leuk en daarna was ik weer aan rust toe.'

'Ha,' doe ik.

'Na de middag ga ik nog wat rusten ...'

'Ha,' zeg ik weer.

'... maar daarna gaan we met z'n allen een wandeling maken.'

'O ja?'

'Dat is toch de planning, hè, Rein?' vraagt mama.

'Ik dacht het wel,' zegt Rein. 'Ja toch, Joost? Eerst een eind varen en dan de omgeving eens verkennen?'

'Een flink eind varen, Sausje,' zegt Joost. 'We zijn wat achter op ons schema.'

'Wat denk je, Irena?' vraagt mama.

Nu pas kijk ik haar aan. Er loopt één kreukel over haar wang, maar haar ogen kijken helder op mij neer.

'Goed,' zeg ik.

41

Het is heet in de kajuit en ik kan maar niet in slaap vallen. In de loop van de middag is de zon doorgebroken en is het erg warm geworden. In de onderste kajuit valt het nog mee, maar hier is het echt heet. We kunnen alleen een patrijspoort openzetten waar muggengaas voor gespannen is. Ik wou dat we met open deur konden slapen. Maar dan staan we de volgende dag zeker vol muggenbeten.

We zijn tegelijk gaan slapen, Jolien, Lem en ik. Het heeft nog een hele tijd geduurd voor het geschraap van stoelpoten boven onze hoofden stilviel, maar ik heb mama nog steeds niet naar bed horen komen.

Naast mij klemt Lem zijn knuffel weer tegen zijn borst. Ik laat mij uit mijn bed glijden. Jolien slaapt met haar armen wijd open en ik stap over haar uitstekende arm heen. Voorzichtig duw ik de kajuitdeur open en stap over de drempel. Ik schrik deze keer niet als ik mama bij de reling zie staan.

Het is koel, maar niet echt koud buiten. Er schemert een dikke maanschijf door de wolkenflarden. Telkens als er een gat tussen de wolken is, werpt het maanlicht zilveren visjes in het water.

Als ik naast mama ga staan, slaat ze meteen een arm om mij heen. Ik druk mij tegen haar aan. We kijken een hele tijd naar het spel tussen de maan en de zilveren visjes, zonder iets te zeggen.

'Ik vond het leuk vanmiddag,' zeg ik ten slotte.

'Ik ook,' zegt mama. 'Ik heb genoten van de wandeling en ik vond het leuk om naar jullie te kijken, terwijl jullie aan het frisbeeën waren.'

Ik grinnik. 'Het leukste was toen Joost achteruitholde om de frisbee te vangen en over die stronk struikelde.'

Mama legt haar hand voor haar mond om haar lach te smoren. 'Jij haalde anders ook wel een paar mooie stunts uit,' zegt ze. 'Zoals jij omhoogsprong en haasje-over deed met Jolien om die frisbee nog uit de lucht te plukken. Papa had je moeten zien.'

'Ja …' Ik denk er plots aan dat ik nog geen enkele brief naar papa geschreven heb. Het lijkt wel of ik hier geen tijd heb. Alleen als we varen, heb ik soms even tijd, maar Jolien vraagt mij altijd wel om een spelletje te doen. Of soms moeten we meehelpen met Rein. Ik had vanavond mijn handen vol om de tomaten te pellen en de zaadjes eruit te halen.

Op dat moment horen we in de verte een klokje kleppen. Ik tel de slagen mee. Middernacht.

'Het uur van de spoken,' zegt mama. 'Of van een groot wonder.'

Ik draai mij even van haar weg om in de richting van het binnenland te turen.

'Daar!' Mama grijpt mij opeens stevig beet. 'Heb je die gezien?'

'Wat? Wat?'

'Dat was een dolfijn, zeker weten!'

'Een dolfijn?' Dolfijnen zijn nog steeds mijn lievelingsdieren, maar toch word ik sinds Joliens val in het water een beetje ongemakkelijk als ik aan dolfijnen denk.

'Het was pal voor ons uit,' zegt mama. 'Ik zag er een even heel licht opwippen op het water. Als er geen maan op zijn huid schitterde, had ik hem niet eens gezien.'

'Dat kan niet,' zeg ik. 'Ik heb geen plons gehoord.'

'Hij plonsde ook niet. Hij kwam maar een klein beetje uit het water piepen en gleed er zachtjes weer in.'

Ik knijp mijn ogen samen om beter te zien. Het water rimpelt zoals gewoonlijk. De zilveren visjes lichten weer op. Geen dolfijn te zien.

'Als je een dolfijn ziet, mag je een wens doen,' zegt mama.

'O ja?' Dat heb ik nog nooit gehoord.

'Jawel,' zegt mama. 'In de Noordzee heb je niet zoveel kans om er een te zien. Als je er dan een ziet, betekent het dat je een geluksvogel bent. Dan mag je een wens doen.'

Ik denk even na terwijl ik over het water staar. Mijn grootste wens is nog steeds om naar Esbjerg te gaan. Maar ik wil ook dat mama weer wordt zoals vroeger.

'Mag je ook twee dingen wensen?' vraag ik.

'Je kunt proberen,' zegt mama.

Ik bal mijn vuisten en knijp mijn ogen dicht. Ik denk heel hard aan mijn wensen.

'Wil je weten wat ik gewenst heb?' vraag ik dan.

'Nee, hoor,' zegt mama. 'Wensen zijn geheim. Die mag je aan niemand verklappen of ze komen niet uit.'

'Heb jij ook iets gewenst?'

'Ja,' zegt mama zacht.

We blijven nog een hele tijd staan en mijn benen worden moe. Mijn hoofd ook een beetje. Ik kijk naar mama's gezicht. Ze ziet er nu helemaal niet moe uit en haar ogen glanzen een beetje. Gelukkig heeft ze nooit meer van die poppenogen.

'Ben je nu moe?' vraag ik.

'Ik ben nog steeds heel veel moe,' zegt mama.

'Waarom ga je dan nu niet slapen?'

'Ik heb ook last van slapeloosheid,' zegt mama. 'Dat is het rare. Ik ben heel erg moe, maar kan ook niet zo goed slapen 's nachts. Daarom moet ik overdag soms een dutje doen.'

'Wat vervelend,' zeg ik.

'Ja.'

'Wanneer ga je morgen een dutje doen?'

Mama drukt mij wat steviger tegen zich aan. 'Dat weet ik nog niet, lieverd. Ik wil zo veel mogelijk meemaken van de leuke dingen.'

'Morgen gaan we in een restaurant eten 's middags,' zeg ik. 'Dat heb ik van Joost gehoord. Hij zei dat er een eind verder langs de kust een leuk stadje ligt met een heleboel restaurantjes.'

'Daar wil ik graag bij zijn,' zegt mama.

Ik knik. Er waait een koele bries door de dunne stof van mijn pyjama heen en ik ril.

'Ik ga slapen,' zeg ik. 'Ik krijg het hier koud.'

42

Dag papa,

Sorry dat ik nu pas naar je schrijf, maar het is hier ook zo druk de hele tijd. Er zijn zo veel leuke dingen te bekijken en te doen, en we moeten ook meehelpen met het klaarmaken van het eten. Ik heb al geleerd hoe je de pel van tomaten haalt. Je moet de tomaten tien seconden in kokend water leggen, voorzichtig het water weggieten en dan de tomaten pellen.

Vandaag was het eerst wel een leuke dag, maar daarna niet meer. Ik heb vanochtend nogal lang geslapen omdat ik gisteren laat opgebleven was. Het was zo heet in de kajuit. Mama heeft ook lang geslapen, nog langer dan ik. Toen ik opstond, hadden Jo-

lien en Lem al ontbeten en Joost maakte net de boot los om weer te gaan varen.

Ik heb vlug mijn ontbijt opgegeten en daarna Rein geholpen met de afwas. Mama was ondertussen nog altijd aan het slapen. Daarna heb ik samen met Jolien heel lang aan de reling gestaan om naar dolfijnen te speuren. Wel met onze zwemvesten aan en niet op de trapjes naar het bovendek, gewoon op het middendek. Maar we hebben er geen gezien.

Eindelijk is mama dan opgestaan en dat was maar goed ook, want nauwelijks een kwartier later meerden we alweer aan. Mama kleedde zich vlug aan. Ze hijgde ervan toen ze klaar was. Het ontbijt sloeg ze over omdat het al bijna middag was.

We zijn met z'n allen naar een stadje gewandeld. Lem bleef weer de hele tijd achterop omdat hij nummerplaten opschreef. We raakten hem bijna kwijt toen we in de smalle, kronkelige straatjes liepen. En Joost maar knarsetanden van ergernis.

Jolien en ik liepen voorop. Wij deden ook iets met nummerplaten. Maar niet zoals Lem, hoor. Wij maakten woorden met de letters van de nummerplaten. Ik heb er één onthouden. GS46VKN: Gekke Stumper (46 jaar) Vindt Kous Niet.

We hebben ontzettend veel gelachen. Ook in het restaurant. Er was zo'n gekke ober die de mensen een plaats aanwees als ze binnenkwamen. Hij maakte telkens een raar gebaar met z'n vingers, zoals wij vroeger deden als we speelden dat we elkaar doodschoten.

'Knal!' zei Jolien. 'Nog een klant aan flarden. Het bloed spuit tegen de muren.'

Uiteindelijk zei Rein dat we moesten ophouden. Ze vond het niet smakelijk om te zitten eten terwijl Jolien en ik beschreven hoe het bloed in de soep spatte.

Omdat we niets meer mochten zeggen, hadden we nog meer moeite om onze lach in te houden. Toen die ober weer eens zijn gekke gebaar maakte, had Jolien net een lepel soep in haar mond genomen en de soep sproeide als een fontein tussen haar lippen door. Toen was Rein echt wel boos, zodat we een heel tijd geen zin meer hadden in lachen.

Na de soep kregen we allemaal een bord met een hardgebakken stuk vlees, één grote aardappel en grote knalgroene erwten.

'Dat vlees is een stuk uit het zadel van onze cowboy,' fluisterde Jolien in mijn oor. 'En die groene erwten zijn de kogels waarmee hij schiet.'

We lagen weer in een deuk, maar hielden ons vlug in toen we Reins blik zagen. Jolien en ik lieten allebei ons vlees liggen. Dat was echt niet lekker. Ik weet niet hoe Lem erin slaagde om dat door te slikken.

Toen we ons ijs kregen, zag ik dat mama alweer moe was. Ze liep dan ook de hele tijd achterop met Lem, toen we weer door de kronkelende straatjes liepen. Uiteindelijk zei ze dat ze terug naar de boot wilde. Joost en Rein hadden helemaal nog geen zin om terug te gaan, dat zag ik wel. Ik heb toen maar gezegd dat ik met mama terug naar de boot zou gaan.

Toen we eindelijk over de loopplank liepen, had mama weer een gezicht vol kreukels. Ze is meteen in bed gekropen en slaapt nu nog altijd. Ik hoop dat ze snel wakker wordt, dan kunnen we nog eens backgammon spelen.

Ik heb daarnet nog een hele tijd over de reling gehangen en in de verte gekeken, maar ik heb geen enkele dolfijn gezien. Mama zei gisteravond dat ze er een gezien had. Ik denk dat ze niet goed gekeken heeft. Dat het zomaar een grote vis was die door het water flitste. Ik geloof niet dat ze een echte dolfijn gezien heeft. Dat wil natuurlijk wel zeggen dat mijn wensen niet zullen uitkomen. Dat is jammer, want het waren heel goeie wensen.

Groeten van je Oliebol.

PS Jolien en Lem en Rein en Joost zijn juist aangekomen. Mama is wakker geworden van hun lawaai. Nu moet ik echt stoppen, want mama vraagt of we nog een eindje gaan wandelen.

Mama wijst naar mijn brief. 'Heb je postzegels en een enveloppe?' vraagt ze.

'Ja,' zeg ik. 'Die heeft papa mij meegegeven.'

'Neem dan maar meteen de brief mee. Ik zag vanochtend een brievenbus aan het einde van de straat die vlak bij de steiger vertrekt.'

Ik schrijf vlug het adres op de enveloppe en we vertrekken. Terwijl we nog over de steiger lopen, legt mama een hand op mijn schouder. Ik zeg niets en ik laat die hand daar liggen. Ik weet niet echt of ik het nu leuk vind of niet.

We lopen tot bij de brievenbus en keren terug.

'Zullen we hier nog een beetje zitten?' vraagt mama.

'Hier?' Er is geen zitbank of zo. Gewoon de planken van de steiger.

'Lekker met onze voeten in het water,' zegt mama. Ze schopt meteen haar sandalen van haar voeten en gaat zitten.

Ik wrik mijn slippers van mijn voeten en ga naast haar zitten. Het water is verrassend koud. We maken trage bewegingen met onze voeten in het water.

'We moeten wel oppassen,' zegt mama.

'Oppassen?'

'Misschien zitten hier wel haaiopdonders in het water.'

'Haaiopdonders?' vraag ik.

'Of tenenkaasproevers.'

Nu begrijp ik het. Mama is al even gek als Jolien.

'Of groteteennagelknippers,' zeg ik.

'Of kleineteennagelbijters,' zegt mama.

'Of voetzoolkrabbers.'

'Of dubbele enkelhappers.'

'Of tenenverzamelaars.'

'Of gewiekste voetkietelaars.'

'Of kriebelende …' aarzel ik.

'Voetteenhielverslinders?' vraagt mama.

Ik laat mijn hoofd achterovervallen en lach.

'Vond je het leuk vandaag?' vraagt mama.

'In het restaurant vond ik het leuk,' zeg ik. 'En nu is het ook leuk. Maar vanmiddag was het oersaai.'

'Zo is dat,' zegt mama. 'Er zijn leuke dingen en er zijn minder leuke dingen. En als ik je vanavond versla in backgammon? Is dat dan leuk of niet leuk?'

Ik kijk mama recht aan. Haar ogen twinkelen. Maar hoe zullen haar ogen naar mij kijken over een uur? En zal ze nog zo vrolijk naar mij lachen als nu of heeft ze dan weer kreukels in haar gezicht?

Ik sla mijn blik neer. Mijn voeten lijken grote witte vissen in het donkere water.

'Ik weet het niet,' zeg ik. 'Nog niet.'

43

'Ik vermoed dat er achter de weilanden een schattig dorpje ver-borgen ligt,' zegt Joost terwijl hij de spaghettisaus van zijn lippen dept. Hij trekt het elastiekje rond zijn haar steviger aan. 'Wie gaat er mee op ontdekkingsreis?'

We hebben vanmorgen een heel eind gevaren. Het is weer warm, bijna net zo heet als eergisteren. Terwijl het schuim rond onze oren spatte, heeft mama een halfuurtje geboetseerd. Ik be-keek haar vanuit mijn ooghoeken. Natuurlijk werd ze weer moe van die rotklei. Ze ging wat slapen en stond weer op kort voor we aanmeerden. Joost vond een totaal verlaten plek. Een klein stuk keienstrand, een beetje rotsen en een houten steiger met een meerpaal.

Lem en Jolien steken hun handen hoog de lucht in.

'Ik blijf hier,' zegt mama meteen.

De gedachten roetsjen door mijn hoofd. Zal ik meegaan of bij mama blijven? Het is leuk om dingen samen te doen met mama. Gisterenavond won ze inderdaad van mij met back-gammon. Tweemaal na elkaar zelfs. Maar ik heb ook zin om met Jolien mee te gaan. Maar misschien ligt mama dan weer in bed als ik thuiskom.

'Ga jij ook maar mee,' beslist mama in mijn plaats.

'Wat ga jij dan doen?' vraag ik.

'De hele middag rusten zodat ik jou vanavond weer kan ver-slaan in backgammon,' zegt mama.

Ik grinnik en spring op van mijn zitplaats.

'Ik denk dat ik vanmiddag ook maar eens op de boot blijf,' zegt Rein. 'Ik heb nog een paar boeken mee waar ik dringend aan moet beginnen.'

We vertrekken. We volgen een smal pad dat tussen de rotsen omhoogslingert en ontdekken een stuk weiland waar schapen op staan. Langs het weiland loopt een smal weggetje dat een eind verderop de dieperik in gaat. Maar in de verte steekt een toren-spits boven het weiland uit. Daar in de diepte is de bewoonde wereld.

Joost is weer in supervorm. Terwijl we langs de blatende schapen lopen, vertelt hij weer honderduit moppen.

'Twee papegaaien zitten in een kooi. Zegt de ene: "Warm dat het hier is, man." Waarop de andere zegt: "Zet dan het deurtje open!"'

Ik schiet meteen in de lach, maar ik zie dat Jolien haar lippen op elkaar klemt.

'En ken je de mop van de twee zandkorrels?' vraagt Joost.

'Nee,' zeg ik.

'Twee zandkorrels lopen door de woestijn. Zegt de ene tegen de andere: "We zijn omsingeld."'

Opnieuw ben ik de enige die lacht. Jolien kijkt de andere kant op en Lem heeft waarschijnlijk niet eens gehoord wat Joost zei.

Ik vertraag wat en blijf een beetje achterop met Jolien. We proberen de schapen te aaien.

'Zijn Rein en Joost nog verliefd op elkaar?' vraag ik.

'Ik weet het niet,' zegt Jolien. 'Ze hadden vanochtend weer ruzie. Jij lag nog goed te dutten, maar ik hoorde hen ruzie maken in de kajuit onder ons. Het ging over Lem. Het gaat altijd over Lem.'

We steken onze handen door het gaas, maar slagen er niet in een schaap te aaien. Ze zijn veel te bang voor ons. Ze blijven op een afstandje staan blaten.

'Joost zou moeten ophouden met op Lems kop te zitten,' zeg ik. 'Het is toch maar mooi Lem die in de paasvakantie alle cijfers aflas van de boordapparatuur.'

'Natuurlijk! Daardoor kwamen de helikopter en de reddingsboot vlug ter plaatse.' Jolien drukt haar hand tegen haar ene wang. 'Misschien was ik wel dood geweest als Lem er niet was.'

'Lem is wel een beetje raar,' waag ik te zeggen. 'Maar ook heel slim,' voeg ik er snel aan toe.

'Nee, slim is hij niet,' zegt Jolien. 'Hij haalt heel slechte cijfers op school. Hij moet zijn jaar overdoen. Hij kan wel nummerplaten onthouden en heeft een boel getallen in zijn hoofd, maar hij weet niet dat vijf plus vijf tien is.'

'Hoe gek,' zeg ik.

'Heb ik toch altijd gezegd!' joelt Jolien, en ze zet het op een lopen. Ik ga haar vlug achterna. Joost is al aan de afdaling begonnen. Voorbij de weide leidt een steil paadje ons naar beneden. Het is niet gemakkelijk om af te dalen. Af en toe glijden keien weg onder mijn voeten of schuif ik uit in het zand. Lem huppelt het pad af als een geit. Ik ben de laatste die puffend beneden komt.

Er is niet veel te zien in het dorp. Een paar huizen met ertussen enkele boerderijen. Tegen een heel net huis met een keurig tuintje leunt een oude schuur met roestige deuren waarin je de balen stro ziet liggen. Verderop, in de enige straat die er is, staan enkele identieke huisjes aan beide zijden van het kerkje. Achter de kerk ligt een grote weide met koeien. Roeduif, Roeduif, koer ik in gedachten.

Omdat Jolien en ik zeuren om ijs, spreekt Joost de enige voorbijgangster aan. We moeten weer erg lachen om zijn belabberde Engels. Eigenlijk veel meer dan nodig is. Hij zegt zoiets als: 'Hep joe aais hier?' Maar wonder boven wonder begrijpt de vrouw hem. Ze wijst en antwoordt in snel, onverstaanbaar Engels. Joost knikt en knikt en ik hoop maar dat hij haar begrijpt.

'Dank joe,' zegt Joost.

De mevrouw lacht nog eens en aait Lem over zijn bol, wat hij helemaal niet leuk vindt.

'Een tweetal kilometer verderop,' vertaalt Joost. 'Ze hebben ijs in het volgende kustplaatsje. Daar hebben ze bovendien ook een paar winkels, groenten en kleren en zo, en zelfs twee ijsstandjes.'

Twee kilometer! Dat is zo'n beetje de andere kant van de wereld als je dat te voet moet doen. Ik heb nu al pijn aan mijn voeten.

44

We lopen een hele tijd op een weggetje dat tussen groene weiden met schapen kronkelt, klauteren een helling op en daarachter liggen opeens een boel kleine huisjes. Vanaf de top van de helling kunnen we in de verte de zee weer zien glinsteren. We dalen af en lopen door smalle straatjes. Straatjes met veel auto's erin! Lem haalt een klein stukje papier uit zijn zak, waarop hij meteen weer nummerplaten noteert. Ik zie hoe Joost ongeduldig met zijn ogen rolt als Lem weer achterop raakt door dat ijverige pennen van hem.

'Bij ons blijven, Lem,' knort hij. 'Ik wil je hier niet kwijtraken.'

We vinden het ijsstalletje. Jolien bestelt een ijsje met vier bollen.

'Die krijg je toch nooit allemaal op!' zeg ik.

'Toch wel,' zegt ze. Ik kies vanille- en bananenijs. Joost kokos-ijs en citroen. Lem twee bollen chocolade-ijs. Hij heeft het nu extra moeilijk om nummerplaten te noteren omdat hij steeds het ijsje van hand moet verwisselen voor hij kan schrijven. Joosts gezicht wordt roder en roder.

'We keren ondertussen terug naar de boot,' zegt hij.

We lopen weer in de smalle straatjes, maar na even later staan we opeens weer voor het ijsstalletje. We hebben een half-uur voor niets rondgelopen!

'Zijn we verdwaald?' vraagt Jolien.

'Tja,' zegt Joost, en hij trekt het elastiekje van zijn haar nog eens aan.

Terwijl Joost om zich heen kijkt, wipt Jolien een van haar bollen ijs in de goot. Zie je wel dat ze vier bollen niet op kan!

'Het is die kant op,' wijst Lem naar een straatje dat schuin over het ijsstalletje ligt.

'Waarom denk je dat?' bromt Joost.

'Omdat daar die grijze Audi staat,' zegt Lem, 'met nummer-plaat KS55RVL.'

Het lijkt wel een soort quiz. Lem leest nummerplaat na num-merplaat voor van zijn blaadje en we moeten alleen maar de auto's zoeken. Zo vinden we de weg die terug naar het eerste dorpje leidt. Een paar auto's ontbreken. Ze zijn natuurlijk niet allemaal blijven staan.

Het is verschrikkelijk lastig om dat hele eind terug te lopen. Mijn benen zijn zo zwaar als olifantenpoten en na een tijd moet ik mezelf echt voortslepen. Ik heb ook vreselijke dorst, maar ik durf het Joost niet te zeggen.

'Maak een beetje voort,' maant hij ons om de haverklap aan. 'We zullen veel later bij de boot terug zijn dan voorzien. Ik wil niet dat de moeders zich te lang zorgen maken.'

Ik ben echt doodop als we de top van de heuvel bereiken vanwaar we de boot kunnen zien. Twee kleine figuurtjes wuiven ons toe. We blijven even staan om terug te wuiven.

'Soms weet ik zelf niet wat ik nu het liefste wil,' mompelt Jolien.

'Waar heb je het over?' vraag ik.

'Dat ze misschien weer elk apart gaan wonen, als de reis tegenvalt.'

'O,' doe ik.

'Ik hou niet van ruzie,' zegt Jolien.

Ik weet niet wat ik daarop moet zeggen. Joost haast zich de helling af. Zijn nek en schouders zijn knalrood door het lange wandelen in de zon. Zijn staartje danst bij elke stap op en neer. Hij draait zich om en roept. 'Weten jullie waarom een olifant groot, rond en grijs is?'

Jolien zegt niets, maar ik grinnik. 'Nee …'

'Als hij klein, hoekig en wit was, was het een suikerklontje!'

Ik begrijp nu heel goed waarom Jolien niet zo erg moet lachen met zijn moppen. Maar zelf kan ik het weer niet laten.

45

Dag papa,

Gisteren zijn we verdwaald! Dat was niet echt eng, hoor, maar wel lastig. We hebben zo veel moeten lopen. Ik zakte bijna door mijn benen toen we weer op de boot klommen. En dorst dat ik had! Dorst! Ik heb twee glazen na elkaar uitgedronken. Mama was heel erg ongerust. Het was dan ook al halfacht toen we terug waren. Rein had het avondeten klaargemaakt tegen halfzeven. Maar ze was veel te blij om ons terug te zien om boos te zijn.

Mama had weer erge kreukels in haar gezicht en haar ogen stonden glazig. Helemaal niet leuk. Na het avondeten ging ze meteen naar bed. Ik hoopte dat ze wat later weer zou opstaan om backgammon met mij te spelen, maar ze sliep nog steeds toen het bedtijd was.

Vanochtend werd ik wakker door het brommen van de motor. Mama lag nog steeds te slapen. Ik wipte van mijn brits en ging kijken. Het was nog maar halfacht en we waren alweer vertrokken. Rein zei dat we een beetje moesten voortmaken omdat we morgen in Harwich willen zijn.

Mama stond op toen Jolien en ik en Lem aan het ontbijt zaten. Ik durfde niet goed naar haar te kijken. Eigenlijk is het een beetje mijn schuld dat ze vandaag zo moe is. Van ongerust zijn wordt ze ook heel moe. We waren beter niet naar het ijsdorpje gegaan. Maar ik wist natuurlijk niet dat we zouden verdwalen!

Na het ontbijt ging mama weer rusten en ik moest helpen afwassen met Rein. Opeens zag ik op een plank een hoop van mama's klei staan. Toen Rein uit de kajuit weg was, begon ik er een beetje in te kneden. Ik maakte een monster met zeven lange dikke poten rond zijn lijf. Een beetje als een spin, maar met een poot te veel. Ik stopte rijstkorrels op de plaats van zijn ogen en maakte een mond van macaroni.

Opeens beeldde ik me in dat hij het Moeheidsmonster was. Het Moeheidsmonster dat mama gestoken had. Ik liep naar het mid-

dendek en zwierde hem het water in. Rein werd boos omdat ze dacht dat ik een soepbord overboord gekeild had. Ik zei dat het maar een homp klei was.

Kort voor de middag meerde Joost de boot aan bij net zo'n gammele steiger als gisteren, alweer aan de rand van een schapenweide. Mama werd wakker.

Mama hoorde van Rein wat ik met de klei gedaan had. Ik dacht eerst dat ze boos zou worden, maar toen ik zei dat ik het Moeheidsmonster overboord gegooid had, nam ze meteen zelf een homp klei. Ze kneedde er een soort kwal van met lange slierten aan en gooide die dan overboord. Dat was het Verdwaalmonster, zei ze.

Lem en Jolien kwamen erbij zitten en opeens waren we allemaal monsters aan het maken en gooiden ze dan in het water.

Lem maakte een Boze Joostmonster en Jolien een Verdrinkingsmonster en mama en ik maakten samen nog een Slapeloosheidsmonster, dat eruitzag als een draak met van die driehoekjes op zijn rug en staart.

Jammer genoeg moesten we toen ophouden omdat het etenstijd was. Het was reuzeleuk en na het middagmaal ging ik nog even door. Joost wilde toch nog een eindje varen.

Ik maakte nog een Kreukelmonster. Dat leek op een lieveheersbeestje met diepe voren in zijn schild. Terwijl ik hem overboord gooide, nam ik mij voor niet meer op mama's kreukels te letten. En ten slotte greep ik nog een grote handvol klei en maakte er een dik plat vierkant van. Ik gooide het zo hoog op dat het met een plons het wateroppervlak in dook.

Lem stond te kijken en zag dat het geen dier was. Het was gewoon een homp klei, vond hij. Ik zei dat het wel iets was. Het was immers de Steen.

'Zie je wel dat het geen monster was,' zei Lem toen.

Joost meerde de boot aan bij een groot vlak weiland. We speelden er weer frisbee en mama keek toe tot ze in slaap viel in de schaduw van een dikke boom.

Rein is nu bezig met vlees te ontdooien voor de barbecue van vanavond. Wat jammer dat je er niet bij kunt zijn! Maar nu duurt onze reis niet meer zo lang. Nog zes nachtjes slapen en we zijn weer bij jou.

Dikke zoen van mij,

Irena

46

'Lem, haal je vingers uit de mayonaise,' zegt Rein.

We zitten met z'n allen nog rond de tafel onder een dikke boom, maar op onze borden liggen alleen nog botjes. Ik laat mij zo ver achteroverhangen in mijn stoel, dat ik bijna omklap. Het is lang geleden dat ik nog zo veel gegeten heb. Vanavond heb ik opeens het gevoel dat die steen die ik al zo lang meedraag, weg is. Het is een goed gevoel.

Mama likt haar vingers af en dept ze droog aan een servetje.

'Ik ga naar bed,' zegt ze. 'Ik kijk erg uit naar Harwich en wil er morgen goed van kunnen genieten. Kom je mij instoppen, Irena?'

Ik knik.

Mama loopt nog een rondje om de tafel heen en kust iedereen goedenacht. Daarna lopen we terug naar de boot. De grassprietjes voelen nog warm aan onder mijn blote voeten. Ik kijk nog eens om. De kooltjes in het barbecuestel gloeien nog wat na. Lem zit alweer met zijn vingers in het mayonaiseschaaltje. Rein verzamelt alle botjes op één bord. Joost is opgestaan en leunt tegen de dikke boom. Jolien begint weer over ons verdwaalavontuur van gisteren. Terwijl mama zich klaarmaakt in de kajuit, hang ik wat over de reling.

'Zonder Mijnheertje Nummerplaat liepen we daar nu nog,' hoor ik Jolien zeggen. Rein komt mij tegemoet met het bord vol botjes. Ze blikt kort achterom. Precies op dat moment geeft Joost een vriendschappelijke tik op Lems schouder. Het is van hieraf net hoorbaar wat hij zegt.

'Je bent me er eentje, Lem,' zegt hij. 'Maar je hebt ons weer eens uit de nood geholpen.'

Ik zie aan Reins gezicht dat ze Joost ook gehoord heeft. Ik neem het bord met botjes van haar over en ze loopt terug naar het plekje onder de boom om verder af te ruimen. Ik breng het bord naar het kleine keukentje.

'Ik ben klaar, Irena!' roept mama.

Ze ligt al op haar brits als ik de kajuit binnenga.

'Vind je het niet erg dat ik al ga slapen?' vraagt ze.

'Nee,' zeg ik, en ik meen het. De dag was gewoon leuk. Ook al heeft mama veel geslapen.

'Ik heb toch al lekker drie keer van je gewonnen met backgammon voor we gingen eten,' zeg ik.

'Ja, je hebt gelijk,' zucht mama. 'Vier keer verliezen op één dag zou te veel voor mij zijn.'

'We hebben wel heel veel van je klei opgebruikt,' zeg ik. 'Nu heb je bijna niets meer over om te boetseren.'

'Ach, Ir,' zegt mama. 'Dit was nu eens een van de leukste dingen die ik ooit met klei gedaan heb. Stel je voor! Monsters maken en overboord gooien! Misschien moeten we dat vaker doen. Samen iets maken, bedoel ik. Niet de klei door de vensters gooien.'

'Ja,' zeg ik voorzichtig. 'Misschien.'

'Ga nu maar lekker nog wat spelen met Jolien,' zegt mama.

Ik druk een zoen op mama's wang. 'Slaapwel!'

'Slaapwel, Ireentje.'

Buiten help ik om de klapstoelen terug naar de boot te dragen. Joost tilt in zijn eentje de tafel op.

Nog later zitten we op het middendek met zijn vijven *Mens erger je niet* te spelen. Joost en Rein zitten aan dezelfde kant van de tafel en het is heel grappig om te zien hoe ze telkens een beetje dichter naar elkaar toe schuiven, zelfs al slaat Joost drie keer na elkaar Reins pionnen uit het spel. Joost vertelt de ene mop na de andere en Jolien en ik gaan uiteindelijk allebei met buikpijn naar onze kajuit.

Als we in onze bedden liggen, tuur ik een tijdje naar het plafond boven mij. Opeens moet ik weer aan Esbjerg denken. Het is lang geleden. Sinds ik op reis ben, heb ik er nauwelijks aan gedacht. Nu zie ik de zoenende zeehonden weer en de witte beelden en een haven vol boten. Ik zie zelfs die gekke lettertjes weer voor mijn ogen en ik denk aan die dag kort voor de paasvakantie toen papa vertelde dat we naar Esbjerg gingen. Ik moet opeens een beetje huilen. Toch ben ik niet echt verdrietig.

47

Mama bakt eitjes voor het ontbijt. Jawel, mama! Ze is de eerste op. Dat is de hele reis nog niet gebeurd.

De bakgeur drijft mij uit mijn kooi. Ook Jolien gooit gapend haar laken opzij. Lem trippelt voor ons uit naar het middendek.

In de keuken vlieg ik mama om de hals.

'Pas op,' gilt ze. 'Of mijn eitjes springen de pan uit!'

'Zullen we nog eens het ei van Columbus doen, Jolien?' vraag ik. 'Heb je nog een ei voor ons, mama?'

De spreekbeurt op school was een grote mislukking. Omdat Jolien toen nog in het ziekenhuis lag, moest ik het alleen doen. Ik moest dus ook haar deel erbij nemen, maar dat had ik slechts met veel moeite in mijn hoofd kunnen stampen. En het was ook zo stom om tegen mezelf te moeten spreken. Nu kunnen we er tenminste weer een toneeltje van maken.

'Hoe zet je een ei rechtop?' vraagt Columbus-Jolien aan haar bemanning. Een gekke Columbus, hoor, in een nachtpon!

'Een ei kun je niet rechtop zetten,' zeg ik met mijn grovezeemansstem. 'Tenzij je een dopje hebt of een paar stukjes hout om een soort doosje te maken.'

'Zo moet je een ei rechtop zetten!' zegt Columbus-Jolien, en ze kwakt het ei precies op de goeie manier op tafel. Het is niet zo erg gekraakt dat het begint te druipen.

Op school was de truc helemaal mislukt. Eerst bleef het ei niet staan, omdat ik het niet stevig genoeg op de bank gedrukt had. Het rolde eraf en ik kon het net op tijd opvangen. En de tweede keer smakte ik het zo hard neer, dat het zowat uiteenspatte. Alle smurrie schoof van de bank op Luna's schoot. Ik was daarna zo van mijn stuk, dat de spreekbeurt zelf niet zo goed meer lukte. Maar meester Tom gaf mij uiteindelijk toch nog een zeven.

Na het ontbijt sta ik op de uitkijk. Het is wel spannend nu we Harwich naderen. Ik ben de eerste die de torens aanwijst.

'Daar! Harwich!'

Ik kijk mijn ogen uit als we de jachthaven binnenvaren. Wat een massa boten hier!

Mama komt naast mij staan. 'Dat lijkt je puzzel wel,' zegt ze.

Ik krijg een hoofd als een tomaat, want ik denk aan die puzzels die ik in de paasvakantie door elkaar gegooid heb. Toen ik uit het ziekenhuis kwam, heb ik die tweeduizend stukjes in een oude schoendoos gekieperd en onder in mijn speelgoedkast gezet.

'Als wij daar met z'n tweeën eens werk van maken, vinden we wel welke stukjes bij welke puzzel horen,' zegt mama.

Verbaasd kijk ik naar haar op. Ik heb mijn doos toch goed verstopt?

'Ik zag die hoop liggen, Irena,' zegt mama zacht, 'toen we je kamer doorzochten. We keerden het hele huis om toen je die ochtend nergens te vinden was. Papa dacht meteen aan Jolien en we belden haar op, maar ze waren al vertrokken. We hadden geen mobiel nummer van Rein en werden er bijna gek van dat we hen niet konden bereiken.'

Ik bestudeer heel aandachtig de boten: de grote, de kleine, de zeilboten, de motorjachten. Alles bekijk ik. Als ik mama maar niet hoef aan te kijken.

'Je hebt ons nooit gezegd wat je plannen waren,' vervolgt mama. 'Waar zou je heen gegaan zijn als Jolien niet in het water gevallen was?'

'Naar Esbjerg,' flap ik er meteen uit.

'Maar je wist toch dat Jolien naar Harwich op reis ging?'

'Juist daarom, mama. Je kunt van Harwich oversteken naar Esbjerg.'

In gedachten zie ik weer die kleine bootjes op de kaart.

'Hm,' zegt mama. 'Papa vermoedde al zoiets. Heb je trouwens zin om vanmiddag naar het strand te gaan?'

'Mag Jolien mee?'

'Ik dacht eerder aan een uitstapje onder ons tweeën. Doe je gele topje en je geruite short aan.'

'Waarom?'

'Daarom, vraagstaart. Ik ga een beetje rusten.'

Maar in plaats van naar de kajuit te gaan, loopt mama het trapje op naar Joost, die alles klaarmaakt om te vertrekken. Ik ben niet van plan om te luistervinken, hoor, maar ik loop haar achterna omdat Jolien ook op het bovendek is.

'Eb?' hoor ik Joost nog vragen. 'Vanaf drie uur in de middag.'

'Perfect,' zegt mama, en ze loopt langs mij heen het trapje af, met zo'n rare glimlach op haar gezicht. 'Vergeet onze afspraak niet, Irena. Om halfdrie trekken we naar het strand.'

48

Hoe lang duurt een dag als je ergens op wacht! Het duurt al zo lang voor het middag is.

Rein maakt een vlugge opwarmschotel klaar. Mama staat op net als we met z'n allen aan tafel schuiven, maar laat niets los over wat we na de middag gaan doen.

Meteen na het middageten vertrekt Rein met Lem en Jolien om Harwich te gaan verkennen.

'Ongeduldig, Irena?' vraagt Joost als ik voor de honderdste keer van het middendek naar het bovendek loop.

Eindelijk komt mama de kajuit uit. Ze draagt een grote rieten tas over haar schouder. Er zit iets groots en hards in. Het maakt een dikke bobbel in de tas.

'Klaar, Irena?' vraagt ze.

Klaar? Ik zit al een uur mijn lip stuk te bijten van de spanning. Natuurlijk ben ik klaar!

'Tot straks, Joost!' roepen we.

Het is een flink eind stappen naar het strand. Ik ben eigenlijk best nieuwsgierig naar die grote bobbel in mama's tas.

'Als je wilt, kan ik je tas wel even dragen,' stel ik voor.

'Hoeft niet, hoor, Irena,' zegt mama. 'Het lukt me wel.'

In het zand is het lastig lopen. Ik maak mijn sandalen los en loop op blote voeten in het hete zand.

We blijven maar verder stappen.

'Gaan we hier een beetje zitten, mam?' vraag ik.

'Straks,' zegt ze. 'Nu nog niet.'

Overal om ons heen liggen mensen te roosteren in de zon. Een troepje kinderen graaft een diepe geul rond een hoop zand met torentjes. Drie jongeren en een meisje met een piepkleine bikini gooien een frisbee naar elkaar.

Mama loopt aan één stuk door naar het natte zand. Dan zet ze haar tas neer. Ze wijst in de richting van de aanrollende golven.

'Daar ergens ligt Esbjerg,' zegt ze.

Ik heb al een rood hoofd door het zwoegen in het hete zand, maar ik denk dat ik nu helemaal op een tomaat lijk. Ik weet niet waar ik moet kijken. Ik duw mijn voeten diep in het natte zand en kijk dan hoe de afdruk volloopt met water. Mijn grote teen staat een beetje krom. Dat heb ik nooit eerder opgemerkt.

'Papa heeft me iets meegegeven,' zegt mama geheimzinnig. Ze opent de tas en haalt een houten bootje tevoorschijn.

Het is een heel simpel bootje, meer een breed vlot met opstaande randen en een mast in het midden. Er hangt een klein rood vlaggetje aan, dat meteen in de zeebries begint te flapperen.

'Papa zegt dat het een Esbjergvaarder is,' zegt mama. 'Hij heeft gevraagd of wij het bootje naar Esbjerg willen laten varen. En zelf heb ik dit geboetseerd.'

Weer duikt ze in de tas en haalt er een klein beschilderd kleifiguurtje uit. 'Ik had zin om een meisje te maken dat op reis gaat naar het land van de zoenende zeehonden.'

Ze duwt het poppetje in mijn handen. Het heeft niet alleen een geel topje en een geruite short aan, maar het heeft ook mijn halflange haar, mijn puntige neus en mijn lange benen.

'Dat ben ik,' zeg ik verlegen. 'En met de juiste kleuren.'

'Ach,' zegt mama, en ze bloost een beetje. 'Ik heb het gemaakt terwijl jullie aan wal waren.'

Ook mama schopt nu haar schoenen uit. Samen met mijn sandalen laten we de schoenen bij de rieten tas achter. Het strand-water is fris, maar niet echt koud aan onze voeten. Mama tilt haar rok op. Ik loop verder tot het water boven mijn knieën reikt. In mijn ene hand hou ik het bootje. In de andere het Irena-poppetje. Af en toe rolt een golf op mij af, die mijn short nat spat. Maar dat is juist spannend.

Ik zet het bootje op de golven, met het poppetje tegen de mast. Zodra de golven het bootje grijpen, valt de kleine Irena om.

'Naar Esbjerg,' zeg ik. 'Varen maar naar Esbjerg …'

Ik ben net van plan om met mijn hand in het water het bootje meer vaart te geven als ik me bedenk. Ik loop dieper het water in, hou het bootje tegen en vis het kleipoppetje eruit.

Mama komt naast mij staan. Een flap van haar rok hangt in het zeewater en ik voel opeens hoe nat mijn short is.

'Ik wil het poppetje houden,' zeg ik, en ik druk het tegen mijn borst.

Nu is het mama die met haar handen het zeewater wegduwt. Ze heeft haar rok losgelaten en ik zie hoe de stof donker wordt en naar de diepte zinkt. Met grote bewegingen van haar armen drijft mama het bootje naar zee.

Het kleine houten bootje wordt door een golf opgetild en dobbert weg met een heftig klapperend rood zeiltje.

En opeens houden we elkaar vast, mama en ik.

'Naar Esbjerg,' fluistert mama in mijn haar. 'Ooit gaan we met z'n drieën naar Esbjerg.'

Wil je reageren op dit verhaal? Of wil je meer informatie over het boek, de schrijfster of andere boeken van haar? Surf dan eens naar *www.clavisbooks.com*.

MEIDEN AAN DE TOP!

Speelse verhalen boordevol avontuur en spanning. Voor meisjes vanaf 8 jaar.

Puck is het zat dat zij en haar vriendinnen gepest worden door de jongens op school. Als een van hen voor de zoveelste keer lastiggevallen wordt, besluit ze er iets aan te doen. Samen met Bloem, Amber en Lotte richt ze de Dappere Meidenclub op.

Het is de bedoeling dat de meisjes voor zichzelf leren opkomen. De vier vriendinnen maken een griezelkist, die ze om beurten voor elkaar verstoppen. Zo komen ze op de meest enge plekken. Elke keer voelen ze zich sterker. Maar wie zijn de onbekende chatters op het internet? En waar komen de gemaskerde schattenjagers op het kerkhof plots vandaan? Zijn de meisjes dapper genoeg voor de confrontatie?

Een avontuurlijk boek over vier meiden die niet meer met zich laten sollen. En dat zullen de jongens wel merken!